중급 한국어 1

Korean for Intermediate Learners 1

중급 한국어 1

Korean for Intermediate Learners 1

The National Institute of the Korean Language

Hollym
Elizabeth, NJ·Seoul

Planned by:

 THE NATIONAL INSTITUTE OF
THE KOREAN LANGUAGE

Written by:

Chung-sook Kim (Korea University)

Seong-won Bang (Kyung Hee Cyber University)

Jung-hee Lee (Kyung Hee University)

Young-sook Lee (Hanyang University)

Ji-young Kim (Korea University)

Myung-sook Jung (Pusan University of Foreign Studies)

Mi-hye Lee (Iwha Womans University)

Jae-wook Kim (Hankuk University of Foreign Studies)

Mi-ok Kim (Yonsei University)

You-jeong Kim (The International Korean Language Foundation)

Translated by:

Michelle Misook Kim, Christine Kim

중급 한국어 1
Korean for Intermediate Learners 1

Copyright © 2009 by The National Institute of the Korean Language

First published in 2009
Second printing, 2011
by Hollym International Corp.
18 Donald Place, Elizabeth, New Jersey 07208, USA
Phone 908 353 1655   Fax 908 353 0255
http://www.hollym.com

J Hollym

Published simultaneously in Korea
by Hollym Corp., Publishers
13-13 Gwancheol-dong, Jongno-gu, Seoul 110-111 Korea
Phone +82 2 734 5087   Fax +82 2 730 8192
http://www.hollym.co.kr   e-Mail info@hollym.co.kr

ISBN: 978-1-56591-293-9
Library of Congress Control Number: 2009943540

Printed in Korea

'중급 한국어 1'을 출판하며

지난 10년간 한국어 교육은 많은 발전을 거듭해 왔습니다. 이는 한국의 경제와 문화가 발전하고 한류가 급속히 확산되었기 때문이라고 여겨집니다. 이런 성장을 지속하고 한국어의 세계화를 확대하기 위해서는 한국어와 한국 문화에 관심을 이끌 수 있는 다양한 한국어 교재의 개발과 보급이 가장 중요할 것입니다. 이에 문화체육관광부와 국립국어원은 2008년에 '초급 한국어'를 완간(4종 6개 국어)하여 국외 세종학당을 중심으로 표준화된 한국어 교재를 개발하고 보급하는 일에 노력해 오고 있습니다.

최근 들어 한국어에 대한 수요가 지속적으로 증가하고 수요자 층도 더욱 다양화되어 가고 있는 추세입니다. 여성결혼이민자, 외국인 근로자 등 한국 내 거주 외국인들이 지속적으로 증가하면서 한국어에 대한 수요도 계속 높아가고 있으며, 세계적으로도 한국어 수요자 층이 북미, 일본 등의 재외동포 중심에서 현지 외국인 등으로 다변화되는 한편, 동남아시아 · 중앙아시아 등으로까지 확대되고 있는 실정입니다. 특히, 시간이 흐름에 따라 한국어 학습자들이 초급 수준을 넘는 한국어 교재가 필요하다고 요청하고 있습니다. 이번 '중급 한국어 1' 교재는 이처럼 다양화되고 수준 높은 한국어 교육 교재에 대한 수요를 고려하여 개발된 것입니다.

'중급 한국어 1' 교재는 국외에 있는 세종학당, 국내외 한국어 전문가 양성기관 등 한국어 교육의 현장에서 소중하게 활용될 것으로 믿습니다. 다만, 한국어 기본 교재와 병행해서 활용될 수 있는 교원용 지침서, 학습자용 워크북, 그리고 세계 어느 곳에서나 쉽게 접근할 수 있는 온라인 교재 등이 이번에 동시에 개발되지 못한 것이 아쉬운 점으로 남습니다. 이런 부족한 점은 2009년에 구축된 '누리-세종학당(www.sejonghakdang.or.kr)'을 통해 다양한 온라인 학습 자료들을 제공함으로써 어느 정도 보완될 수 있을 것으로 생각합니다. 또한, 국립국어원은 체계적인 사업 계획을 만들고 그 계획에 따라 수준별 한국어 교재와 부교재들이 빠른 시일 내에 완간될 수 있도록 최선의 노력을 다할 것입니다.

'중급 한국어 1'의 개발과 출판 과정에는 많은 분들의 값진 땀과 노력이 있었습니다. 우선 어려운 여건 속에서도 한국어 교육에 대한 애정 하나만을 가지고 교재 집필을 맡아 주신 고려대학교 김정숙 교수님을 비롯한 저자 여러분들께 진심으로 감사의 말씀을 드립니다. 이 교재가 빛을 보기까지 작은 일 하나까지 꼼꼼하게 챙겨주신 한림출판사 관계자분들께도 깊은 감사를 드립니다.

이 교재가 한국어를 배우고자 하는 모든 분들에게 사랑받기 위해서는 지속적인 수정과 보완의 과정을 거쳐 나가야 할 것입니다. 이를 위해서는 무엇보다도 이 책을 이용하는 여러분들의 따뜻한 관심과 조언이 필요하다고 생각합니다. 국립국어원도 끝까지 책임지고 더 좋은 교재로 거듭나도록 가능한 모든 노력을 아끼지 않겠습니다.

2009년 12월

국립국어원 원장 권재일

일러두기 | Introduction

Korean for Intermediate Learners (vol. 1) by the National Institute of the Korean Language was developed to help beginners advance to the intermediate level while expanding their understanding of Korean culture. The text was developed primarily for the King Sejong Institutes' learners and secondarily for general learners.

Goals

- The goal is level 2 of TOPIK (Test of Proficiency in Korean). Therefore, the textbook is structured to help students utilize Korean appropriately and fluently in their daily lives and also includes basic social functions.

- The main characters and situations were created by taking into consideration the cultural characteristics and individual differences of learners from the diverse regions where the King Sejong Institutes are located.

- The textbook includes various authentic tasks to improve learners' speaking, listening, reading and writing skills.

- The textbook includes a balanced combination of grammar forms/meanings and structures/functions to evenly improve accuracy and fluency.

- The textbook includes various practical resources and pieces of cultural information for learners to properly familiarize themselves with Korean society and culture.

- The textbook includes a variety of types of discourses to help distinguish between colloquial and literary language, and formal and informal speech styles.

- The textbook was structured after sufficiently considering adult learners' cognitive competence and learning strategies to enable them to learn effectively.

- The textbook enables bilateral cultural learning from interculturalistic perspectives and facilitates learners' initiative acquisition of Korean culture through task performance.

Textbook Structure

- The textbook is made up of 20 units, with each unit take between 4 to 6 hours, for a total of 100 learning hours.

- The textbook includes approximately 60 to 70 words per unit, 1,200 to 1,400 words in total. Among them, about 200 to 400 words are taught solely for the purpose of comprehension. Words were selected based on frequency of use, difficulty and relevance to the topics and tasks of each unit.

- The textbook includes about 3 to 4 grammar items per unit, approximately 70 in total.

Unit Structure

Learning Objectives — Warm-up — Dialogs — New Words & Expressions (1) — Vocabulary & Expressions (followed by Practice) — Grammar (followed by Practice) — Conversation Drill — Tasks (Listening/Speaking/Reading/Writing) — New Words & Expressions (2) — Culture — Self-Assessment

- <Learning Objectives> includes tasks, vocabulary and expressions, grammar and culture points of the unit.

- <Warm-up> includes a picture and a few questions regarding the unit's topic to draw learners' attention to the topic and to activate their background knowledge.

- <Dialogs> presents two example dialogs for learners to clearly identify the learning objectives.

- <Vocabulary & Expressions> presents new vocabulary and expressions necessary not only to describe the topic but also to perform each task. This section also offers useful sentences.

- <Grammar> includes brief yet accurate explanations and examples to enable learners to understand and practice the grammar in a simple context. Practice is structured to provide meaningful opportunities to use the grammar.

- <Conversation Drill> provides a foundation for better task-performing skills by applying previously learned vocabulary and grammar to real communication.

- <Tasks> presents real world tasks in order to increase task-performing skills in real life situations. The task section includes speaking, listening, reading and writing tasks in the order of listening-speaking-reading-writing.

- <New Words & Expressions> presents the new vocabulary that appeared in <Dialogs>, <Grammar> and <Tasks> sections in order to make it available for the learners to use. This section is presented twice, once after <Dialogs> and another after <Tasks>.

- <Culture> aims to increase learners' understanding of Korean society and culture by explaining a cultural item related to the unit topic along with graphic materials. Items necessary to understand modern-day Korea are used as cultural items.

- <Self-Assessment> presented assessment items to verify whether the learning objectives have been achieved or not. Learners can self evaluate and utilize this section for future reference.

단원 구성표 Scope and Sequence

Lesson	Topic	Tasks
1	소개 Introduction	· Understanding a conversation between people meeting for the first time · Having a conversation about one's background and introducing oneself · Reading an e-mail that introduces oneself · Writing an e-mail that introduces oneself
2	날씨와 계절 Seasons & Weather	· Understanding a weather forecast · Discussing the seasons and the weather · Reading a weather forecast and an article about summer in Korea · Writing about your favorite season and activities that you enjoy
3	쇼핑 Shopping	· Listening to a conversation at a store · Buying and exchanging items · Reading passages on exchange · refund policies and on introduction to a discount store · Writing an introduction and recommendation for a store or marketplace
4	희망 · 계획 Future Plans · Hopes	· Listening to a conversation about plans for after graduation · Talking about the future plans/hopes · Reading the survey results on different professional choices and plans for after graduation · Writing about your future plans
5	부탁 Request	· Listening to a conversation about asking a favor · Asking for a favor and accepting or rejecting one · Reading a note about asking a favor and a passage about techniques for asking for a favor · Writing a letter asking for a favor
6	구인 · 구직 Job Offer · Job Hunting	· Listening to a conversation about jobs · Role-playing as an applicant and interviewer · Reading a job advertisement and a passage about the type of new employees that companies prefer · Writing a résumé
7	근황 How to Get Along	· Listening to a conversation about the present · Talking about the present · Reading a letter about how someone is doing · Answering a letter about how someone is doing
8	은행 · 우체국 Bank · Post Office	· Listening to a conversation at a post office · Role-playing as a postal worker and customer · Reading instructions for an automated teller machine (ATM) and a passage about a various service at the post office · Writing directions for sending a package
9	집 House	· Listening to a conversation at a real estate agency · Finding a house through a real estate agency · Reading an advertisement on houses for rent to look for an appropriate room/house and a passage about the process of renting a room/house · Making an advertisement to find a roommate
10	전화 Telephone	· Listening to voice mail · Leaving voice mail on someone else's phone · Reading telephone memos and a passage about using mobile phones · Writing about telephone conversations

Vocabulary & Expressions	Grammar	Culture
· Occupation · Major	· –(으)ㄴ 지 · –지요 · –네요 · 에 대해서	Greeting in Korea
· Weather & climate phenomena · Seasonal phenomena · Seasonal activities	· –겠– (conjecture) · –아/어/여지다 · Adnominal suffix	Seasonal activities in Korea
· Colors · Size & measurement · Shopping-related vocabulary	· –(으)니까 · –기는 하다 · "ㅎ" irregular conjugation	Famous markets in Seoul
· Professional choices · Plans	· 이/가 되다 · –(으)려고 하다 · –았/었/였으면 좋겠다 · –거나	Korean university students' plans for after graduation
· Requests & refusals · Favors to ask	· –(으)ㄹ래요 · –아/어/여다 주다 · –ㄴ데[1]	Expressions Koreans use to refuse
· Job offer/hunting · Application documents · Salary & benefits	· –다가 · –(으)면 · –지 알다/모르다	Jobs that Koreans prefer
· Getting along · Changes in one's life	· Informal speech[1]: –아/어/여 –(이)야 –자	Informal speech in Korean
· Bank-related words · Bank services · Post office-related words	· –ㄴ 데에 · –아/어/여서 · –(으)ㄹ까요	Korean currency
· Types of houses & layouts · Residential environment · House chores · Home appliances	· Informal speech[2]: 아/야 –니 –아/어/여라 · –(으)ㄹ 테니까	Korean housing rental system
· Telephone · Phone conversations · Business matters	· –다고 하다 · –(으)라고 하다 · –게 되다	Useful telephone numbers

단원 구성표 Scope and Sequence

Lesson	Topic	Tasks
11	명절 Holidays	· Understanding a conversation about New Year's Day activities · Telling stories and explaining traditional holiday activities · Understanding New Year's cards and reading a passage about New Year's Day · Writing New Year's cards
12	예절과 질서 Manners & Regulations	· Listening to interviews about Korean manners · Discussing manners in different countries and regions · Reading bulletin board postings in public places and a passage about proper handshaking · Writing a letter introducing manners in one's own country
13	예약 Reservations	· Listening to a hotel reservation being made by phone · Making a hotel reservation at a hotel · Understanding an advertisement for a hotel travel package and reading a passage about reservations and cancellations · Writing an introduction to accommodations
14	한국의 대중문화 Korea's Pop Culture	· Listening to a conversation about favorite Korean pop music · Talking about favorite Korean dramas and pop music · Reading a passage about a movie and a passage about the changes in Korean dramas · Writing about a favorite Korean drama or movie
15	면접 Job Interview	· Understanding a conversation about a preferred job · Having a job interview · Reading and understanding a job advertisement and reading a passage about a disliked colleague · Writing a personal statement
16	음식 Food	· Listening to recipes · Explaining cooking directions and describing flavors · Reading a passage that explains a recipe · Writing a recipe
17	용모 · 복장 Appearance · Clothing	· Listening to a conversation about reporting a missing person · Talking about your favorite types of clothing/attire · Reading an advertisement for a missing person and a passage describing someone's appearance · Writing about your own appearance and clothing/attire
18	여행지 Tourist Attractions	· Listening to a conversation about suggesting a tourist attraction · Discussing travel experiences and impressions · Reading a tourist package advertisement and travel notes · Writing an introduction to a tourist attraction
19	병 Getting Ill	· Listening to a pharmacist's advice · Talking to a doctor about symptoms · Reading drug dosage and first aid information · Writing about being ill
20	업무 Work	· Listening to and understanding conversations about work · Making plans for work · Reading work documents and a passage about ways to communicate at work · Writing successfully a work-related documents

Vocabulary & Expressions	Grammar	Culture
· Traditional holiday · New Year's Day · Chuseok (Korean Thanksgiving Day)	· 께 · –기(를) 바라다 · –아/어/여 보이다	Gift-giving customs in Korea
· Manners · Cultural differences · Rules & regulations	· –아/어/여도 되다 · –(으)면 안 되다 · –냐고 하다 · –자고 하다	Etiquette in Korea
· Reservations · Accommodations · Restaurant-related words	· –(으)려면 · (으)로¹ · –(으)ㄹ까 하다 · 아무 (이)나	Accommodations in Korea

· Trend & taste
· Celebrity
· Dramas & movies
· Music
	· –다 (Declarative sentence ending form):
	  –ㄴ/는다, –다
	  –았/었/였다
	  –겠다, –(으)ㄹ 것이다
		Hallyu: the Korean wave

· Vocabulary related to getting a job · Content of personal statement	· 것 같다 · –(으)ㄴ 적이 있다/없다 · –(으)ㄹ 줄 알다/모르다 · 마다	How to make job interview successful
· Taste · Cookery · Food · Spices	· (으)로² · –고 나서 · –아/어/여 놓다	Korean table setting
· Appearance: face · Appearance: body · Clothing/attire	· 처럼 · –(으)ㄴ/는 편이다 · –던데요	Hanbok: traditional Korean clothes
· Nature tour attractions · Tourist attractions · Travel impressions	· –아/어/여 있다 · –는 동안에 · –(으)ㄹ 만하다 · –ㄴ데²	Jejudo Island
· Symptoms · Wounds · Medicine · Medical treatment	· –ㄴ 데다가 · –자마자 · –도록 하다 · –씩	Folk remedies
· Work · Departments & duties · Document papers · Discussion-related vocabulary	· –(으)ㄹ까 봐 · –다 보면 · –는 게 좋겠다	Workplace etiquette in Korea

차례 Contents

⟨Appendix⟩

학습 목표 Learning Objectives

Tasks 1. Understanding a conversation between people meeting for the first time
2. Having a conversation about one's background and introducing oneself
3. Reading an e-mail that introduces oneself
4. Writing an e-mail that introduces oneself

Vocabulary & Expressions Occupation, major
Grammar –(으)ㄴ 지, –지요, –네요, 에 대해서
Culture Greeting in Korea

>>> ## 들어가기 Warm-up

● 이 사람들은 지금 무엇을 하고 있습니까?
처음 만난 사람에게 자기를 소개할 때는 어떤 내용을 이야기합니까?

● 여러분은 무슨 일을 합니까? 어느 회사/학교에 다닙니까?
그리고 한국어를 얼마나 공부했습니까?

>>> **대화** Dialogs Track 01

1 Two students are having a conversation at a Korean university party.

제니퍼 안녕하세요. 제니퍼 존스예요.

밍 밍 안녕하세요. 저는 진밍밍이라고 해요.

제니퍼 중국에서 오셨지요?

밍 밍 네, 중국 베이징에서 왔어요.

제니퍼 전공이 뭐예요?

밍 밍 한국 경제예요. 제니퍼 씨는 전공이 뭐예요?

제니퍼 제 전공은 영화학이에요.

밍 밍 그래요? 저도 한국 영화에 대해서 관심이 많아요.

2 Two people are meeting for the first time at an international gathering.

미유키 왕웨이 씨, 이분은 저와 함께 근무하는 박진수 씨입니다.

박진수 처음 뵙겠습니다. 신성자동차에서 근무하는 박진수라고 합니다.

왕웨이 안녕하십니까? 왕웨이입니다. 만나서 반갑습니다.

박진수 왕웨이 씨는 어느 회사에서 일하십니까?

왕웨이 저는 서울은행 베이징 지사에서 일합니다.

박진수 한국말을 잘하시네요. 한국어를 배운 지 얼마나 되셨습니까?

왕웨이 1년 됐습니다.

New Words & Expressions 1

모임 gathering	전공 major, field of study	경제 economy
영화학 film studies	관심 interest	분 *(honorific)* person
근무하다 to work	회사 company	지사 branch office

1 직업 Occupation

대학생 university student	대학원생 graduate student
교사 teacher, instructor	교수 professor
회사원 company employee	공무원 civil servant
변호사 lawyer	요리사 cook
가정주부 homemaker	사업을 하다 to carry on business
장사를 하다 to do business	농사를 짓다 to farm

⊙— 연습 (Practice)

Fill in each blank with an appropriate word or expression from the box. Change the form if necessary.

> 대학원생   교수   가정주부   공무원   사업을 하다   농사를 짓다

1 저는 _____입니다. 요즘은 시청에서 근무합니다.

2 저는 _____입니다. 집안일이 많아서 힘듭니다.

3 저는 _____입니다. 한국대학교에서 경제학을 가르치고 있습니다.

4 저는 서울에서 _____. 중국 물건을 수입해서 팝니다.

2 전공 Major / Field of Study

한국학 Korean studies	동양학 Asian studies
역사학 history	사회학 sociology
법학 law	경제학 economics
경영학 business management	생물학 biology
의학 medicine	공학 engineering

⊙— **연습** (Practice)

Match each word on the left to a related field on the right.

1 회사   ●   ● ① 공학

2 병원   ●   ● ② 의학

3 기계   ●   ● ③ 법학

4 변호사 ●   ● ④ 경영학

3 유용한 표현 Useful Expressions

저는 <u>김민수</u>라고 합니다. I am <u>Min-su Kim</u>.

처음 뵙겠습니다. How do you do?

만나서 반갑습니다. It's nice to meet you.

중국(의) 어디에서 오셨어요? Where in China are you from?

저는 <u>한국전자</u>에서 근무합니다. I work for <u>Hanguk Electronics</u>.

여기 제 명함이 있습니다. Here is my business card.

이분은 <u>김민수</u> 씨이고, 이분은 <u>사토 유이치</u> 씨입니다.

This is <u>Min-su Kim</u>, and this is <u>Sato Yuichi</u>.

⊙— **연습** (Practice)

Complete the dialog by choosing the appropriate sentence for each blank.

> 가: 처음 뵙겠습니다. 저는 박인수라고 합니다.
>
> 나: 안녕하세요? 저는 하이군입니다. 1 _____
>
> 가: 하이군 씨는 중국에서 오셨지요? 2 _____
>
> 나: 칭타오에서 왔습니다.
>
> 가: 3 _____
>
> 나: 중국은행 종로 지점에서 일하고 있습니다. 4 _____
>
> 가: 감사합니다. 그런데 저는 오늘 명함을 가지고 오지 않았습니다. 다음에 드리
>
> 겠습니다.

1 ① 오래간만입니다.   ② 만나서 반갑습니다.

2 ① 중국 어디에서 오셨어요?   ② 중국에서 어떻게 오셨어요?

3 ① 무슨 일을 하세요?   ② 회사가 어디에 있어요?

4 ① 저는 명함이 필요합니다.   ② 여기 제 명함이 있습니다.

>>> 문법 Grammar

1 –(으)ㄴ 지

"–(으)ㄴ 지" is attached to a verb stem and is used to show how much time has passed after an incident occurred. It can be used to describe how much time has elapsed from the time of an incident and also how much time has passed after an incident. "–(으)ㄴ 지" must be followed by phrases such as "(시간이) 되다/지나다/넘다/흐르다."

a) If the stem ends in a vowel or "ㄹ," "–ㄴ 지" is used.

b) If the stem ends in a consonant other than "ㄹ," "–은 지" is used.

1 가: 언제부터 한국어를 공부했어요?

   나: 한국어를 공부한 지 일 년쯤 되었습니다.

2 가: 이 회사에서 일한 지 얼마나 되었습니까?

   나: 이 회사에서 일한 지 십 년이 넘었습니다.

3 가: 서울에 산 지 오래됐어요?

   나: 아니요, 서울에 산 지 일 년밖에 안 되었어요.

4 가: 이 책의 내용 좀 이야기해 주세요.

   나: 읽은 지 오래돼서 기억이 안 나요.

◉— 연습 1 (Practice 1)

Complete each dialog by using "–(으)ㄴ 지."

1 가: 한국에 언제 왔습니까?

   나: _____ 일 년 되었습니다.

2 가: 이 회사에 오래 근무하셨습니까?

　나: ＿＿＿＿＿＿＿＿＿＿＿ 이십 년쯤 되었습니다.

3 가: 빵이 좀 딱딱하네요.

　나: ＿＿＿＿＿＿＿＿＿＿＿ 오래돼서 그런 것 같아요.

4 가: 진우 씨, 같이 점심을 먹으러 가요.

　나: 먼저 가세요. 저는 아침을 ＿＿＿＿＿＿＿＿＿＿＿＿＿＿＿＿.

◉— 연습 2(Practice 2)

Talk about the following topics with a partner using "–(으)ㄴ 지."

1 가장 친한 친구와 사귄 기간　　　2 지금 살고 있는 도시에 산 기간

3 한국어를 배운 기간　　　　　　　4 밥을 먹은 후 경과한 시간

2 –지요

When "–지요" is attached to a verb, adjective, or the "noun–이다" form, it functions as a question used to confirm the information that a speaker has in mind. It is used only for asking questions and can be contracted to "–죠." You can often answer this question using "–아/어요," "–ㅂ/습니다" or "–ㄴ데요."

1 가: 회사에 다니시지요?

　나: 네, 한국전자에 다닙니다.

2 가: 요즘 바쁘지요?

　나: 네, 좀 바빠요.

3 가: 티엔 씨는 대학생이죠?

　나: 네, 대학생이에요.

4 가: 어제 수미 씨한테서 전화 받았지요?

　나: 아니요, 못 받았는데요.

◉— 연습 1(Practice 1)

Complete each dialog by using "–지요."

1 가: ＿＿＿＿＿＿＿＿＿＿＿＿＿＿＿?

　나: 네, 여행을 아주 좋아합니다.

2 가: _____?

　　나: 네, 좀 피곤해요.

3 가: 저기가 _____?

　　나: 네, 시청이에요.

4 가: _____?

　　나: 아니요, 못 만났는데요.

⊙— 연습 2 (Practice 2)

What thoughts or feelings do you have about the students sitting next to you? See if what you thought was correct by interviewing them using "–지요."

3 –네요

When "–네요" is attached to a verb, adjective, or the <noun + –이다> form, it expresses a speaker's admiration for something that he/she has newly realized or felt. Depending on the degree of emotion, adverbs such as "아주," "정말," "참" and "좀" are often added.

1 가: 한국말을 아주 잘하시네요.

　　나: 그래요? 고맙습니다.

2 가: 이 집 음식이 맛있지요?

　　나: 네, 정말 맛있네요.

3 가: 한국에 온 지 삼 년이 되었어요.

　　나: 벌써요? 꽤 오래되었네요.

4 가: 오늘은 약속이 여러 개 있어요.

　　나: 그럼 하루 종일 바쁘겠네요.

⊙— 연습 1 (Practice 1)

Complete each dialog by using "–네요."

1 가: 한국어를 _____.

　　나: 아니에요. 아직 잘 못해요.

2 가: 저는 한국에 가서 제주도, 경주, 부산, 그리고 광주를 여행했어요.

　나: _____.

3 가: _____.

　나: 토요일 오후에는 늘 이렇게 길이 막혀요.

4 가: _____.

　나: 그렇죠? 한국에서 가장 높은 건물이에요.

◉— 연습 2 (Practice 2)

Look around you. Using "–네요," make four statements each about things you have newly discovered about your teacher, classmates or classroom.

4 에 대해서

"에 대해서" is placed after a noun to mean *about*. When speaking in formal situations or writing, "서" is often omitted and only "에 대해" is used.

1 가: 서울에 대해서 잘 아세요?

　나: 아니요, 잘 몰라요.

2 가: 한국어를 배운 후에 무슨 일을 할 계획입니까?

　나: 한국 역사에 대해서 공부할 계획입니다.

3 가: 오후에 이진수 씨를 만날 거예요.

　　혹시 이진수 씨에 대해서 아는 것이 있으세요?

　나: 아주 성실하고 좋은 사람이에요.

4 가: 저는 요즘 사물놀이를 배우고 있어요.

　나: 사물놀이가 뭐예요? 저에게 사물놀이에 대해 설명 좀 해 주세요.

◉— 연습 1 (Practice 1)

Complete each dialog by using "에 대해서."

1 가: 한국에 대해서 많이 아세요?

　나: _____.

2 가: 왜 한국어를 배워요?

나: _____.

3 가: 요즘 무슨 일에 관심이 있습니까?

나: _____.

4 가: 왜 갑자기 회의를 합니까?

나: _____.

⊙— 연습 2 (Practice 2)

Using "에 대해서," make four statements about something you know well or are interested in these days and then talk about them with a partner.

>>> **대화 연습** Conversation Drill

The following is a conversation between two people who are meeting for the first time in Korea. Practice the conversation with a partner and then do it again using the information below.

이름: 김영호
직업: 회사원
직장: 한성전자

이름: 어유나
직업: 대학원생
전공: 한국학
관심사: 한국 음악
한국 거주: 2년

영 호 안녕하세요. 저는 김영호입니다.

어유나 안녕하세요. 저는 어유나입니다.

영 호 어유나 씨는 무슨 일을 하세요?

어유나 대학원생이에요. 대학원에서 한국학을 전공하고 있어요.

저는 한국 음악에 대해서 관심이 많아요. 김영호 씨는 무슨 일을 하세요?

영 호 저는 한성전자에 다녀요. 그런데 한국에서 산 지 얼마나 되었어요?

어유나 한국에서 산 지 2년 되었어요.

영　호 꽤 오래됐네요.

1

이름: 리하이
국적: 중국
직업: 공무원
직장: 칭타오 시청
한국어 학습 기간:
3개월

이름: 김성수
직업: 회사원
직장: 신성자동차

2

이름: 에릭 존슨
국적: 호주
직업: 대학원생
전공: 동양학
한국 거주: 2년

이름: 마쓰다 료코
국적: 일본
직업: 대학생
전공: 경제학
관심사: 한국 경제

>>> **과제** Tasks

 듣기 Listening　　　　　　　　　　　　　　Track 01

The following is a conversation between two people who are meeting for the first time. Listen carefully and answer the questions.

1. What is Asako's job?

    ① 대학생   ② 대학원생   ③ 회사원

2. How long has Asako been living in Korea?

    ① 6개월   ② 1년   ③ 2년

3. What is Jun-ho's job?

    ① 대학생   ② 대학원생   ③ 회사원

말하기 Speaking

1. How much do you know about your classmates? What questions could you ask to find out the information in the table below? Discuss with a partner what questions you could use.

> 직업
> 학교 / 직장
> 전공 / 하는 일
> 학년 / 근무 기간
> 한국어 학습 목적
> 관심 있는 것

2. Talk with your classmates using the questions that you have made above and fill in the table below.

내용 ＼ 이름			
직업			
학교 / 직장			
전공 / 하는 일			
학년 / 근무 기간			
한국어 학습 목적			
관심 있는 것			

3. Now, introduce one of your classmates to the class using the information in the table.

 읽기 Reading

1 Read an e-mail that Si-yeong Park (박시영) sent to Ly Nam Hai (리 남 하이) to introduce himself.

1. Mark the information that you think should be included in the e-mail.

☐ 이름   ☐ 국적   ☐ 취미
☐ 가족   ☐ 직업   ☐ 학교 / 직장
☐ 학년 / 근무 기간   ☐ 전공 / 하는 일   ☐ 계획

2. Read the e-mail and see if the information that you expected is included.

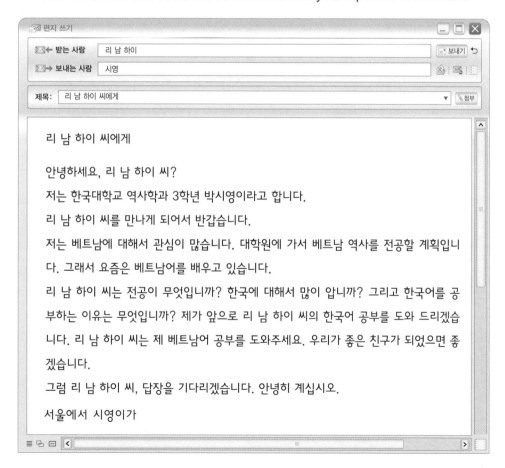

리 남 하이 씨에게

안녕하세요, 리 남 하이 씨?

저는 한국대학교 역사학과 3학년 박시영이라고 합니다.

리 남 하이 씨를 만나게 되어서 반갑습니다.

저는 베트남에 대해서 관심이 많습니다. 대학원에 가서 베트남 역사를 전공할 계획입니다. 그래서 요즘은 베트남어를 배우고 있습니다.

리 남 하이 씨는 전공이 무엇입니까? 한국에 대해서 많이 압니까? 그리고 한국어를 공부하는 이유는 무엇입니까? 제가 앞으로 리 남 하이 씨의 한국어 공부를 도와 드리겠습니다. 리 남 하이 씨는 제 베트남어 공부를 도와주세요. 우리가 좋은 친구가 되었으면 좋겠습니다.

그럼 리 남 하이 씨, 답장을 기다리겠습니다. 안녕히 계십시오.

서울에서 시영이가

3. Check (√) and write the information that you have discovered about Si-yeong Park.

☐ 국적 _____ ☐ 취미 _____

☐ 가족 _____ ☐ 직업 _____

☐ 학교 / 직장 _____ ☐ 학년 / 근무 기간 _____

☐ 전공 / 하는 일 _____ ☐ 계획 _____

2 Do you know how to greet people from different countries around the world? Read the following passage and answer the questions.

1. Discuss with your partner different kinds of greetings from around the world.

2. Read the following passage and choose the statement that best matches the content.

여러분의 나라에서는 어떻게 인사를 합니까? 보통 인사말과 함께 동작을 하는 경우가 많습니다.

한국과 일본에서는 고개를 숙여 인사를 합니다. 그러나 중국에서는 인사를 할 때 고개를 숙이지 않습니다. 요즘은 동양에서도 인사를 한 후에 악수를 하는 경우가 많습니다.

서양에서는 보통 악수를 합니다. 그런데 반가운 사람을 만나면 서로 껴안기도 하고, 뺨을 대고 인사를 하기도 합니다.

① 요즘은 동양 사람들도 악수를 많이 합니다.
② 동양 사람들은 인사를 할 때 고개를 숙입니다.
③ 서양 사람들은 인사를 할 때 보통 껴안습니다.
④ 인사를 할 때 말을 하지 않는 사람들이 많습니다.

 **쓰기** Writing

Assume that you have received an e-mail similar to the one in <Reading Part 1>. How would you reply? Write an e-mail introducing yourself to a Korean friend.

1. Fill in the information about yourself.

이름:

국적:

직업:

학교/직장:

학년/근무 기간:

전공/하는 일:

2. Write a self-introduction using the information above.

3. Now, introduce yourself to the class. Begin your introduction with "지금부터 제 소개를 하겠습니다" and end it with "이상으로 제 소개를 마치겠습니다."

가지고 오다 to bring   갑자기 suddenly   개월 the number of months

경과하다 to elapse   경우 case, occasion   고개를 숙이다 to bow one's head

관심사 matter of concern   기간 period of time   기계 machine

기억이 나다 to remember   껴안다 to hug   꽤 quite

내용 content   늘 always   답장 reply

대다 to place (on)   동양 the East, Asia   동작 action

드리다 (polite) to give   딱딱하다 to be hard/solid   명함 business card

뵙다 (polite) to meet   뺨 cheek   사귀다 to make friends with

사물놀이 Korean traditional percussion ensemble for four different instruments

서양 the West   성실하다 to be faithful   세계 각국 all over the world

수입하다 to import   시청 City Hall   악수를 하다 to shake hands

오래되다 to become old   올해 this year   인사법 way of greeting 지점

branch office   하루 종일 all day long   학습 목적 learning objectives

혹시 perhaps, possibly   회의 meeting

>>> 문화 Culture

>>> Greeting in Korea

- Do you know how Koreans greet one another? Discuss it with a partner.

- Read the following article about Koreans' way of greeting.

In Korea, people usually bow their heads to greet one another. The younger person bows their head respectfully to the older, and the older person nods slightly in return.

Nowadays, however, the bow is often accompanied by a handshake between

men. When the older person stretches out their right hand, the younger person supports their right forearm with their left hand and bows a little bit to show respect. When you greet a person about the same age as you or with a similar social status, you can shake hands with your right hand.

- Pretend that you have met someone your age or someone who is older and practice greeting them. Then, introduce your class the way of greeting people in your home country.

Do you have a full understanding of what you have studied in this chapter? Assess your Korean using the table below and review the chapter again if necessary.

Assessment Items	Scale		
I can listen to a simple self-introduction and understand the information presented.	Excellent	Good	Poor
I can exchange greetings with someone who I meet for the first time and introduce myself.	Excellent	Good	Poor
I can understand a simple written introduction and can write about myself.	Excellent	Good	Poor

Seasons & Weather
날씨와 계절

▶ 학습 목표 Learning Objectives

Tasks 1. Understanding a weather forecast
2. Discussing the seasons and the weather
3. Reading a weather forecast and an article about summer in Korea
4. Writing about your favorite season and activities that you enjoy

Vocabulary & Expressions Weather & climate phenomena, seasonal
phenomena, seasonal activities

Grammar −겠−(conjecture), −아/어/여지다, adnominal suffix

Culture Seasonal activities in Korea

>>> 들어가기 Warm-up

- 어느 계절입니까? 날씨가 어떻습니까? 이 사람들은 날씨에 대해서 무슨 이야기를 하고 있을까요?
- 여러분의 나라에는 사계절이 있습니까? 그리고 날씨는 어떻습니까?

1 On a hot summer day, two students are having a conversation about the weather.

케빈 날씨가 정말 많이 더워졌어요.

소영 맞아요. 오늘은 바람도 안 부네요.

케빈 요즘은 너무 더워서 밤에 잠도 잘 못 자겠어요.

소영 나도 어젯밤에 잘 못 잤어요. 오늘은 습도가 높아서 더 덥네요.

케빈 하늘에 구름이 많아요. 비가 오겠어요.

소영 그러면 좀 시원해지겠죠?

2 Two people are talking about their favorite seasons.

에릭 민지 씨는 어느 계절을 좋아해요?

민지 나는 겨울을 좋아해요.

에릭 추운 겨울이 왜 좋아요?

민지 나는 눈이 오는 것을 좋아해요. 스키를 타는 것도 좋아하고요.

에릭 그래요?

민지 에릭 씨는 어느 계절을 좋아해요?

에릭 나는 고향이 하와이여서 바다를 좋아해요.
　　 그래서 수영을 할 수 있는 여름을 좋아해요.

New Words & Expressions 1

더워지다 to become hotter	맞다 to be right/correct	바람이 불다 (wind) to blow
습도가 높다 (humidity) to be high		하늘 sky
구름 cloud	시원해지다 to become cooler	스키를 타다 to ski
수영하다 to swim		

1 날씨와 기상 현상 Weather & Climate Phenomena

맑다 to be clear/clean

흐리다 to be cloudy

소나기가 오다 to shower

비가 그치다 (rain) to stop

태풍이 불다 (typhoon) to blow

안개가 끼다 to fog up

기온이 높다 to have a high temperature

습도가 높다 (humidity) to be high

⊙— 연습 (Practice)

Match the related words.

1 날씨 ●	● 맑다 ●	● 그치다
2 소나기 ●	● 높다 ●	● 흐리다
3 기온 ●	● 얼다 ●	● 낮다
4 얼음 ●	● 오다 ●	● 녹다

2 계절 현상 Seasonal Phenomena

싹이 나다 to sprout, to spring up

꽃이 피다 (flowers) to bloom

땀이 나다 to sweat

단풍이 들다 (leaves) to turn colors

낙엽이 지다 (tree) to shed leaves

얼음이 얼다 (ice) to freeze

눈이 녹다 (snow) to melt

손이 시리다 (hands) to get cold

⊙— 연습 (Practice)

Match the expressions in the box with the seasons.

① 싹이 나다   ② 손이 시리다   ③ 땀이 나다   ④ 눈이 녹다
⑤ 꽃이 피다   ⑥ 단풍이 들다   ⑦ 낙엽이 지다   ⑧ 얼음이 얼다
⑨ 태풍이 불다   ⑩ 습도가 높다

  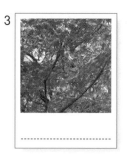 

3 계절 활동 Seasonal Activities

소풍을 가다 to go on a picnic   꽃구경을 가다/하다 to go to see flowers

피서를 가다 to go on vacation for the summer

휴가를 가다 to go on vacation   수영을 하다 to swim

스키를 타다 to ski   눈사람을 만들다 to make a snowman

눈싸움을 하다 to have a snowball fight

⊙— 연습 (Practice)

Fill in each blank with an appropriate expression from the box. Change the form if necessary.

> 눈싸움을 하다   피서를 가다   소풍을 가다   스키를 타다   수영을 하다

1 날씨가 좋은 봄과 가을에는 야외로 _____.

2 한국 사람들은 겨울이 오면 강원도로 _____ 가요.

3 아이들은 _____ 수 있는 겨울을 아주 좋아해요.

4 지난여름에는 바닷가로 _____.

4 유용한 표현 Useful Expressions

무슨 계절을 좋아해요? Which season do you like?

나는 눈이 오는 겨울을 좋아해요. I like snowy winters.

그 계절을 좋아하는 특별한 이유가 있어요?
Is there a particular reason why you like that season?

봄에 특별히 하는 취미 활동이 있어요?
Are there any particular recreational activities that you do in spring?

요즘 날씨가 많이 따뜻해졌어요. It has become quite warm recently.

구름이 많은 걸 보니까 비가 오겠어요.

Since there are so many clouds, it seems like it will rain (soon).

⊙— 연습 (Practice)

Complete the dialog by choosing the appropriate sentence for each blank.

가: 마리 씨는 1 _____

나: 나는 봄을 좋아해요.

가: 그래요? 2 _____

나: 봄에는 날씨도 따뜻하고 예쁜 꽃도 많이 피어서 좋아요.

가: 3 _____

나: 저는 봄이 되면 친구들과 등산을 가요.

가: 재미있겠네요. 그런데 4 _____

나: 맞아요. 벌써 봄이 다 되었어요.

1 ① 무슨 계절을 좋아해요?　　　　② 왜 봄을 좋아해요?

2 ① 봄에 무엇을 해요?　　　　　② 봄을 좋아하는 특별한 이유가 있어요?

3 ① 봄에 꽃이 많이 피지요?　　　② 봄에 특별히 하는 취미 활동이 있어요?

4 ① 오늘은 구름이 많이 꼈어요.　② 요즘 날씨가 많이 따뜻해졌어요.

1　–겠–

When "–겠–" is attached to a verb, adjective or the "noun–이다" form, it shows a conjecture or presumption based on certain evidence.

1 가: 하늘에 구름이 많아요. 비가 오겠어요.

　나: 우산을 꼭 가지고 나가세요.

2 가: 밖에 날씨가 어때요?

　나: 바람이 많이 불어요. 내일은 날씨가 춥겠어요.

3 가: 소영이가 출발한 지 두 시간쯤 됐지요?

　나: 네, 지금쯤 집에 도착했겠네요.

4 가: 어제 오랜만에 고등학교 친구들을 만났어요.

　나: 그래요? 참 반가웠겠네요.

◉— 연습 1(Practice 1)

Complete each dialog by using "–겠–."

1 가: 어젯밤에 잠을 잘 못 잤어요.

　나: 그럼 많이 ＿＿＿＿＿＿＿＿＿＿＿＿＿.

2 가: (쿵!) 아, 아파……

　나: 괜찮아요? 많이 ＿＿＿＿＿＿＿＿＿＿＿＿＿.

3 가: 저 식당은 음식도 맛있고, 일하는 사람들도 모두 친절해요.

　나: 그럼 ＿＿＿＿＿＿＿＿＿＿＿＿＿＿＿.

4 가: 어제 모임은 정말 즐거웠어요. 재미있는 게임도 많이 했어요.

　나: 그래요? ＿＿＿＿＿＿＿＿＿＿＿＿＿＿＿.

◉— 연습 2(Practice 2)

Use "–겠–" to make guesses about the pictures.

1

2

3

4

2 –아/어/여지다

When "–아/어/여지다" is attached to an adjective stem, it indicates a change from one state to another. When an adjective is combined with "–아/어/여지다," it becomes a verb.

a) If the stem ends in a vowel "ㅏ"(excluding '하') or "ㅗ," "–아지다" is used.

b) If the stem ends in any vowel other than "ㅏ" or "ㅗ," "–어지다" is used.

c) For "하다," "–여지다" is used: however, it is often contracted to "해지다."

1 가: 하늘이 흐려졌어요.
　　나: 금방 비가 올 것 같아요.

2 가: 우리 산책하러 가요.
　　나: 지금은 더우니까 좀 시원해지면 가요.

3 가: 옷이 왜 이렇게 작아졌어요?
　　나: 미안해요. 실수로 뜨거운 물에 빨았어요.

4 가: 겨울이 다가오니까 점점 해가 짧아지네요.
　　나: 네, 저녁 여섯 시인데 벌써 어두워요.

⊙— 연습 1(Practice 1)

Change the sentences using "–아/어/여지다" as shown in the example.

> **Ex.**
> 오전에 날씨가 맑았어요. 그런데 지금은 흐려요.
> → 날씨가 흐려졌어요.

1 지난주에는 날씨가 추웠어요. 지금은 날씨가 따뜻해요.

→ _____

2 아까는 기분이 나빴어요. 그런데 지금은 기분이 좋아요.

→ _____

3 조금 전까지 사람이 적었어요. 지금은 사람이 많아요.

→ _____

4 아까는 방이 더러웠어요. 지금은 방이 깨끗해요.

→ _____

⊙— 연습 2 (Practice 2)

What things have changed around you lately? Using "–아/어/여지다," talk about the following topics with a partner, comparing the past and the present as shown in the example.

> **Ex.**
>
> 전에는 한국어가 어려웠어요. 그런데 지금은 좀 쉬워졌어요.

1 날씨   2 기분
3 건강   4 한국어 수업

3 Adnominal Suffix

In Korean, a noun can be modified by a verb, adjective or the "noun–이다" form preceding the noun. However, the modifiers cannot be used in their original forms, but different suffixes are attached at the end of the stems according to tense or part of speech.

(책을 읽다) 언니 ➡ 책을 읽는 언니

■ **The Present Tense**

1) When the verb or "있다/없다" adjective modifies the noun, "–는" is attached to the stem.
2) When the adjective or the "noun–이다" form modifies the noun,
   a) if the stem ends in a vowel or "ㄹ," "–ㄴ" is used.
   b) if the stem ends in a consonant other than "ㄹ," "–은" is used.

1 가: 비가 오는 날씨를 좋아해요?
   나: 아니요, 맑은 날씨를 좋아해요.

2 가: 어떤 날씨를 좋아해요?
   나: 따뜻한 날씨를 좋아해요.

3 가: 지난 주말에 뭐 했어요?
   나: 친구와 재미있는 영화를 봤어요.

4 가: 저 사람은 누구예요?
   나: 저 분이 바로 시인인 이영호 씨예요.

- **The Past Tense**

a) If the verb stem ends in a vowel or "ㄹ," "-ㄴ" is used.

b) If the verb stem ends in a consonant other than "ㄹ," "-은" is used.

   1 가: 스케이트장에 사람이 많았어요?

      나: 네, 스케이트를 타러 온 사람이 정말 많았어요.

   2 가: 길이 미끄럽네요.

      나: 얼음이 언 곳이 많으니까 조심하세요.

   3 가: 저녁을 먹으러 어디로 갈까요?

      나: 어제 저녁을 먹은 식당이 어때요?

   4 가: 아까 읽은 책의 제목이 뭐예요?

      나: 〈해님달님〉이에요.

- **The Future Tense**

a) If the verb stem ends in a vowel or "ㄹ," "-ㄹ" is used.

b) If the verb stem ends in a consonant other than "ㄹ," "-을" is used.

   1 가: 뭐 하세요?

      나: 여행을 갈 계획을 세우고 있어요.

   2 가: 뭘 그렇게 많이 샀어요?

      나: 휴가 때 입을 옷을 샀어요.

   3 가: 이건 제 친구한테 줄 선물이에요.

      나: 그 선물을 받을 사람은 좋겠어요.

   4 가: 내일도 많이 바빠요?

      나: 할 일은 좀 있지만 아주 바쁘지는 않을 거예요.

Part of Speech / Tense	Present	Past	Future
Verb	-는	-ㄴ/은	-ㄹ/을
Adjective	-ㄴ/은	*	-
"Noun-이다" form	-ㄴ	*	-

(* This part will be presented later.)

◉— 연습 1(Practice 1)

Complete the sentences by using the words in the parentheses as shown in the example. Change the form if necessary.

> **Ex.**
>
> 내가 제일 좋아하는 계절은 봄입니다. (좋아하다)

1 나는 _____ 날씨를 싫어합니다.   (춥다)

2 지금 _____영화 제목이 뭐예요?   (보다)

3 이 책은 전에 _____ 거예요.   (읽다)

4 내일 _____ 손님은 누구예요?   (오시다)

5 _____ 빵을 먹고 싶어요.   (맛있다)

6 내일 _____ 사람이 누구예요?   (만나다)

7 이 노래 참 좋지요? 저 분이 _____노래예요.   (만들다)

8 한국에는 _____ 강과 산이 있습니다.   (아름답다)

◉— 연습 2(Practice 2)

Talk with your partner about the following topics using the adnominal form.

1 좋아하는 날씨와 싫어하는 날씨   2 자주 가는 식당과 자주 먹는 음식

3 어제 한 일과 입은 옷   4 이번 주에 만날 사람과 같이 갈 곳

>>> **대화 연습** Conversation Drill

Two people are talking about the seasons and weather. Practice the conversation with a partner and then do it again using the information below.

비아
• 지금 계절: 겨울
• 좋아하는 계절: 따뜻한 봄
• 그 계절의 활동: 소풍, 꽃구경

비아	날씨가 많이 추워졌어요. 내일 날씨는 어떨까요?
진호	밖에 바람이 많이 불어요. 내일은 더 춥겠어요.
비아	정말이요? 전 추운 날씨는 진짜 싫어해요.
진호	그럼 비아 씨는 어떤 날씨를 좋아해요?
비아	저는 따뜻한 날씨를 좋아해요. 그래서 봄이 좋아요.
진호	그래요? 비아 씨의 고향 사람들은 봄에 주로 뭘 해요?
비아	소풍을 가는 사람도 있고, 꽃구경을 가는 사람도 많아요.

1

케이트
• 지금 계절: 겨울
• 좋아하는 계절: 더운 여름
• 그 계절의 활동: 수영, 피서

2

샤오칭
• 지금 계절: 여름
• 좋아하는 계절: 시원한 가을
• 그 계절의 활동: 등산, 여행

>>> **과제** Tasks

 듣기 Listening　　　　　　　　　　　🔊Track 02

Listen carefully to the weather forecast and answer the questions.

1. What is the weather like today?

　① ☁️ → ❄️　② ❄️ → ☀️　③ ☁️ → 🌧️　④ ☁️ → ❄️

2. What is the weather going to be like tomorrow?

　① ☀️　　② ☁️　　③ 🌧️　　④ ❄️

3. Which season is it now?

　① 봄　　② 여름　　③ 가을　　④ 겨울

말하기 Speaking

How is the weather in your country these days? What seasons do you have? What do people do during the season(s)? Discuss the seasons and weather with a partner.

1. What do you usually talk about when you have a conversation about the seasons and weather? Complete the table below.

내용 \ 이름			
계절 이름			
계절의 날씨와 특징			
그 계절에 사람들이 하는 일			
가장 더운/추운 날의 기온			
요즘 날씨			

2. Try to make questions for the information in the table.

3. Now, interview your classmates using the questions you have made about the seasons and weather.

4. Present to the class the information that you gathered.

읽기 Reading

1 The following is a weather forecast you can see in a newspaper. Read it carefully and check what today and tomorrow's weather will be.

1. Think of what kinds of information are included and how they are described in the weather forecast.

2. Read the following weather news and circle 🅣(True) or 🅕(False).

NEWS	**날씨**

　　오늘은 전국이 맑다가 오후부터 흐려지겠다. 아침에는 안개 낀 곳도 있겠다. 아침 기온은 영하 5~0도, 낮 기온은 8~12도.
　　내일은 전국이 흐리고 눈이 오겠다. 그러나 오늘보다 따뜻해져서 눈은 곧 녹겠다.

---

1) 오늘은 하루 종일 흐릴 것이다.
2) 오늘 가장 높은 기온은 12도이다.
3) 내일은 오늘보다 따뜻해질 것이다.
4) 내일은 눈이 와서 눈사람을 만들 수 있을 것이다.

🅣　🅕
🅣　🅕
🅣　🅕
🅣　🅕

2 Read about summer in Korea and circle 🅣(True) or 🅕(False).

한국의 여름은 6월부터 8월까지입니다. 한국의 여름은 평균 기온이 25도 정도로 매우 덥고 습합니다. 특히 6월과 7월에는 며칠씩 비가 내릴 때도 있는데 이때 내리는 비를 장마라고 합니다. 장마가 끝난 후에는 기온이 점점 높아져서 7월 말에서 8월 초는 가장 덥습니다. 그래서 이 기간에는 산이나 바다로 여름휴가를 가는 사람이 많습니다.

1) 한국의 여름은 장마 때가 제일 덥습니다.   T   F
2) 한국 사람들은 산이나 바다로 여름휴가를 갑니다.   T   F
3) 한국의 여름에는 비가 며칠 동안 내릴 때도 있습니다.   T   F
4) 한국의 여름 최고 기온은 25도 정도입니다.   T   F

 쓰기 Writing

What is your favorite season and why? Write about the season you like best and what you enjoy doing during that season.

1. Write down the necessary vocabulary and expressions to describe the season you like.

좋아하는 계절:
좋아하는 이유:
그 계절의 날씨:
특징:
사람들이 많이 하는 활동:

2. Write about the season you like best using the information above.

게임 game	계속되다 to be continued	계획을 세우다 to make a plan
고생하다 to have a hard time	그치다 to stop	금방 just now, a moment ago
꽃구경 looking at flowers	눈사람 snowman	다가오다 to approach
더럽다 to be dirty	미끄럽다 to be slippery	빨다 to wash
소풍 excursion	스케이트장 skating rink	시인 poet
실수 mistake	쌀쌀하다 to be chilly	아까 a while ago, before
어둡다 to be dark	여름휴가 summer vacation	영하 below zero
장마 rainy season	점점 gradually	제목 title
조금 전 a little earlier	즐겁다 to be delightful	지금쯤 around this time
짧아지다 to become shorter	쿵 bump	특징 characteristics, feature
평균 기온 average temperature	피서 summering	행복하다 to be happy
활동 activity	휴가 vacation, holiday	흐려지다 to become cloudy

>>> 문화 Culture

>>> Seasonal Activities in Korea

- Are you aware of the different seasons in Korea? How are they different from one another? What characteristics does each of the seasons have? Discuss the different seasons and weather in Korea.

- Read the following article about different seasons in Korea and the seasonal activities Korean people enjoy. Compare it to the seasons of your home country.

The differences between the four seasons — winter, spring, summer and fall — are very distinct in Korea. For this reason, Koreans enjoy different activities during each season. In spring, new buds sprout and flowers bloom because of the warm weather. So in the springtime, many people go on a picnic or go to see flowers outside the city. During the hot summertime, most employees take days off. Popular summer destinations are the beaches along the East Sea, Mt. Seoraksan and Jejudo Island. In fall when the mountains become tinted with autumn colors, many Koreans go hiking or take trips to the mountains to view the colorful autumn leaves. Mt. Seoraksan and Naejangsan are some of the most well-known places for beautiful autumn leaves. Winter in Korea is cold and snowy. There are many people enjoying winter sports, such as skiing and snowboarding. Particularly in Gangwon-do province, there are many well-equipped ski resorts that become crowded with Koreans as well as many tourists from Southeast Asia.

● Present to your class the seasonal characteristics and weather of your home country or where you currently reside.

>>> 자기 평가 Self-Assessment

Do you have a full understanding of what you have studied in this chapter? Assess your Korean using the table below and review the chapter again if necessary.

Assessment Items	Scale		
I can understand a simple weather forecast.	Excellent	Good	Poor
I can talk about different seasons and their characteristics.	Excellent	Good	Poor
I can read and write about the seasons and weather.	Excellent	Good	Poor

03 Shopping

쇼핑

학습 목표 Learning Objectives

Tasks
1. Listening to a conversation at a store
2. Buying and exchanging items
3. Reading passages on exchange·refund policies and on introduction to a discount store
4. Writing an introduction and recommendation for a store or marketplace

Vocabulary & Expressions Colors, size & measurement, shopping-related vocabulary

Grammar –(으)니까, –기는 하다, "ㅎ" irregular conjugation

Culture Famous markets in Seoul

>>> **들어가기** Warm-up

● 여기는 어디입니까? 이 사람들은 지금 어떤 대화를 나누고 있을까요?

● 여러분은 물건을 산 후에 바꾼 적이 있습니까? 바꾸고 싶을 때 어떻게 이야기합니까?

>>> **대화** Dialogs

1 A customer is talking to a salesclerk at a clothing store.

손님   저, 이 티셔츠 어떻게 해요?

점원   19,800원이에요.

손님   이거 말고 다른 색깔은 없어요?

점원   이쪽에 여러 가지 색깔이 있으니까 한번 골라 보세요.

손님   이 파란 게 예쁘기는 한데 색이 좀 진하네요. 좀 연한 색은 없어요?

점원   네, 파란색은 그 색 말고 없는데요.

2 A customer is asking a salesclerk to exchange an item.

점원   어서 오세요. 뭘 찾으세요?

손님   며칠 전에 이 바지를 샀는데 바꾸고 싶어서요.

점원   아니, 왜요? 마음에 안 드세요?

손님   예쁘기는 한데 허리가 좀 커서요. 이거 대신에 한 치수 작은 걸로 주세요.

점원   잠시만요. 여기 있습니다. 다른 건 안 필요하세요?

손님   네, 됐어요. 이것만 주세요.

New Words & Expressions 1

티셔츠 T-shirt	말고 other than	색깔 color
고르다 to choose	진하다 (color) to be deep	연하다 (color) to be light
교환하다 to exchange	바꾸다 to change	마음에 들다 to be to one's liking
허리가 크다 to be big around the waist		대신에 in place of
치수 measurement, size		

1 색깔 Colors

하얀색 white	분홍색 pink	까만색 black
보라색 purple	노랑색 yellow	갈색 brown
파랑색 blue	하늘색 light blue, azure	빨강색 red
회색 grey	진하다 (color) to be deep	연하다 (color) to be light

⊙— 연습 (Practice)

Write the name of each color in the parentheses and match them with the related words on the right.

1

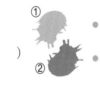

(   )

• 연하다

2

(   )

• 진하다

3

(   )

2 크기 관련 어휘 Size & Measurement

치수/사이즈 measurement, size	길이 length
크기 size, volume	넓이 width, breadth
높이 height	둘레 circumference

◉— 연습 (Practice)

Fill in each blank with an appropriate word from the box.

크기	넓이	길이	높이

1 이 바지는 _____가 너무 길어요.

2 우리 학교 운동장은 _____가 너무 좁아요.

3 한라산의 _____는 몇 미터예요?

4 가방의 _____가 더 작았으면 좋겠어요.

3 쇼핑 관련 어휘 Shopping-Related Vocabulary

어울리다 to match (with)   마음에 들다 to be to one's liking

구입하다 to purchase, to buy   포장하다 to pack, to wrap

바꾸다 to change   교환하다 to exchange

환불하다 to refund   딱 맞다 to fit perfectly

꽉 끼다 to be a tight fit   헐렁하다 (fitting) to be loose

◉— 연습 (Practice)

Fill in each blank with an appropriate word or expression from the box. Change the form if necessary.

꽉 끼다	헐렁하다	교환하다	환불하다	마음에 들다

1 구두가 너무 _____ 발이 아파요.

2 이 가방을 다른 색으로 _____ 싶은데요.

3 바지가 _____ 걸을 때 자꾸 내려가요.

4 어제 산 옷이 마음에 안 들어요. 돈으로 _____ 수 있어요?

4 유용한 표현 Useful Expressions

이 티셔츠 어떻게 해요? How much is this T-shirt?

예쁘기는 한데 치수가 좀 안 맞아요. It's pretty, but the size isn't right.

이거 말고 다른 색깔은 없어요? Are there any colors other than this?

이거 대신에 한 치수 작은 걸로 주세요. Please give me one size smaller.

색깔별로 다 있어요. It is available in every color.

색깔이 마음에 안 들어서 교환하러 왔는데요.

I came to make an exchange because I don't like the color.

연습 (Practice)

Complete each dialog by choosing the appropriate sentence for the blank.

1 가: 어서 오세요. 뭘 찾으세요?

　나: _____

　① 어제 산 물건을 교환하러 왔는데요.

　② 마음에 들면 입어 보세요.

2 가: 디자인이 마음에 안 드세요?

　나: _____

　① 예쁘기는 한데 치수가 좀 안 맞아요.

　② 이쪽에서 골라 보세요.

3 가: 사이즈는 잘 맞으세요?

　나: _____

　① 색깔별로 다 있어요.

　② 이거 대신에 한 치수 작은 걸로 주세요.

4 가: _____

　나: 이건 만 원이고 저건 이만 원이에요.

　① 이 티셔츠 어떻게 해요?

　② 이거 말고 다른 색깔은 없어요?

>>> **문법** Grammar

1 -(으)니까

When "-(으)니까" is attached to the stem of a verb, adjective or the "noun-이다" form, it means *because*, *since* or *so*. If the final clause is an imperative or suggestive, "-(으)니까" should be used.

1 가: 분홍색하고 갈색 티셔츠 중에서 어느 것이 좋아요?
　나: 봄이니까 밝은 색깔로 사세요.

2 가: 이 바지로 드릴까요?
　나: 그건 좀 작으니까 한 치수 큰 걸로 주세요.

3 가: 내일이 마이클 생일이에요. 뭘 선물할까요?
　나: 마이클이 음악을 좋아하니까 음악 CD를 사 줍시다.

4 가: 여름옷을 사려고 하는데 어느 백화점이 좋을까요?
　나: 백화점은 비싸니까 할인 매장에 가 보세요.

◉— 연습 1(Practice 1)

Complete each dialog by using "-(으)니까."

1 가: 이걸 살까요, 저걸 살까요?
　나: ＿＿＿＿＿＿＿＿＿＿＿＿＿＿＿ 이걸 사세요.

2 가: 저녁 아홉 시에도 가게 문을 열어요?
　나: 네, ＿＿＿＿＿＿＿＿＿＿＿＿＿＿ 열 시 전에 오세요.

3 가: 어디에서 컴퓨터를 살까요?
　나: ＿＿＿＿＿＿＿＿＿＿＿＿＿＿＿ 인터넷으로 삽시다.

4 가: 뭘 타고 갈까요?
　나: ＿＿＿＿＿＿＿＿＿＿＿＿＿ 택시를 타고 갑시다.

What kind of gift would be good to buy for your family or friends back home? Talk to your partner using "–(으)니까."

1 등산을 좋아하시는 아버지　　　　2 한국 드라마를 좋아하시는 어머니

3 컴퓨터 게임을 좋아하는 동생　　　4 한국어를 공부하고 있는 친구

2 –기는 하다

When "–기는 하다" is attached to the stem of a verb, adjective or the "noun–이다" form, it indicates that the speaker admits to a truth or occurrence, though it implies that the speaker somewhat disagrees. When "–ㄴ데" is attached, "–기는 하는데" is used if a verb precedes the form, while "–기는 한데" is used if an adjective or the "noun–이다" form precedes it.

1 가: 이 가방이 마음에 들어요?

나: 네, 마음에 들기는 하는데 좀 비싼 것 같아요.

2 가: 이 가방이 싸고 좋은 것 같아요. 어때요?

나: 정말 싸기는 하네요. 그런데 색이 마음에 안 들어요.

3 가: 진호 씨 어때요?

나: 좋은 사람이기는 한데 저와는 잘 안 맞아요.

4 가: 이 김치찌개 맛이 어때요?

나: 맛있기는 한데 좀 매워요.

◉— 연습 1 (Practice 1)

Complete each dialog by using "–기는 하다."

1 가: 마음에 드세요? 이 가방으로 드릴까요?

나: ＿＿＿＿＿＿＿＿＿＿＿ 색이 좀 어둡네요.

2 가: 어제 산 옷인데 한 치수 큰 것으로 바꿀 수 있지요?

나: ＿＿＿＿＿＿＿＿＿＿＿ 지금은 그 치수가 없네요.

내일까지 배달해 드리겠습니다.

3 가: 이 시장 정말 크지요?

나: ＿＿＿＿＿＿＿＿＿＿＿ 살 게 별로 없어요.

4 가: 이 가게 물건이 좀 비싸네요.

나: _____ 질은 아주 좋아요.

⊙— 연습 2 (Practice 2)

Using "–기는 하다," talk about items you have right now as shown in the example.

Ex.

지갑: 제 지갑은 색깔이 예쁘기는 한데 디자인이 마음에 안 들어요.

3 "ㅎ" Irregular Conjugation

Adjectives ending in "ㅎ" (excluding "좋다") have the irregular forms as follows.

1) "ㅎ" is deleted in front of "ㄴ," "ㄹ," "ㅁ" and "ㅅ."

까맣 + ㄴ 것	➡	까만 것		까맣 + 면	➡	까마면
까맣 + ㄹ 것이다	➡	까말 것이다		까맣 + 세요	➡	까마세요

※ Although "까맙니다" is all right to use in formal language, "까맣습니다" is now more often used.

2) When "–아/어" is used, regardless of the vowel of the stem, it is changed to "애." When "–야/여" is used, such as "하얗다" or "허옇다," it is changed to "얘."

까맣 + 아요	➡	까매요		그렇 + 어요	➡	그래요
하얗 + 아요	➡	하얘요		허옇 + 어요	➡	허얘요

1 가: 그럼 빨간 것으로 드릴까요?

나: 아니요, 파란 것으로 주세요.

2 가: 얼굴이 노래요. 어디 아파요?

나: 어젯밤에 잠을 못 자서 그럴 거예요. 괜찮아요.

3 가: 어머니 옷을 사려고 하는데 무슨 색이 좋을까요?

나: 어머니 얼굴이 하야신 편이에요?

4 가: 노란 수박은 속도 노래요?

나: 아니요, 속은 빨개요.

⊙— 연습 1(Practice 1)

Complete each dialog by using the irregular "ㅎ" form.

1 가: 어떤 색 티셔츠가 좋아요?

　　나: 나는 노란 것보다 ＿＿＿＿＿＿＿ 좋은데요.

2 가: 지금 저 사람이 들고 있는 ＿＿＿＿＿＿＿ 우산을 사고 싶은데요.

　　나: 아, 저거요? 잠깐만 기다리세요. 갖다 드리겠습니다.

3 가: 어떤 가방으로 사는 게 좋을까요?

　　나: 이번 겨울에는 ＿＿＿＿＿＿＿ 색 가방이 유행이에요.

4 가: 피곤해 보여요.

　　나: ＿＿＿＿＿＿＿＿＿＿＿＿＿＿＿＿＿＿＿＿.

⊙— 연습 2(Practice 2)

Describe the picture using words with the irregular "ㅎ" form.

>>> **대화 연습** Conversation Drill

The following conversation takes place in a clothing store. Practice the conversation with a partner and then do it again using the information below.

사고 싶은 물건: 스웨터

원하는 것: 점원이 보여준 것과 다른 색깔의 스웨터

점원 어서 오세요. 뭘 찾으세요?

손님 스웨터를 사고 싶은데요.

점원 그러세요? 어떤 스웨터를 찾으세요? 이쪽에 스웨터가 많으니까
천천히 구경하세요.

손님 이게 예쁘기는 한데 색깔이 마음에 안 드네요. 이거 말고 다른 색은 없어요?

점원 파란색하고 까만색이 있어요.

손님 까만색 좀 보여 주세요. 한번 입어 봐도 되지요?

1

2

사고 싶은 물건: 청바지
원하는 것: 점원이 보여 준 것보다 한 치수 큰 것

바꾸고 싶은 물건: 며칠 전에 산 구두
원하는 것: 발이 편한 것

>>> **과제** Tasks

 듣기 Listening

Track 03

A customer is looking for pants at a store. Listen carefully and answer the
questions.

1. What is the customer's purpose for coming to the store?

    ① 큰 바지로 바꾸려고
    ② 작은 바지로 바꾸려고
    ③ 다른 색 바지로 바꾸려고
    ④ 디자인이 다른 바지로 바꾸려고

2. Which of the following statements is true?

    ① 손님은 돈으로 환불을 받았다.
    ② 손님이 교환하려고 하는 치수가 없다.
    ③ 손님이 원하는 바지를 주문했다.
    ④ 손님은 바지를 치마로 바꾸었다.

 말하기 Speaking

Work in pairs (Student A: Customer, Student B: Salesclerk) and role-play the situation of shopping at a store.

1. Read about your roles and prepare what you would say in each situation.

1)

You are a customer. You want to purchase a T-shirt. You don't like the color of the T-shirt that the clerk recommends.

You are a salesclerk at a clothing store.
Recommend T-shirts to your customer.

2)

You are a customer. You received a pair of shoes as a present. You like the design but not the color. Also, the shoes are a little big. You want to exchange them.

You are a salesclerk at a shoe store. Ask the customer what he/she did not like about the item and give him/her an exchange.

2. Now role-play and then switch roles.

 읽기 Reading

1 The following is the policy for exchange and refund. Read it carefully and answer the questions.

1. Think about what information would be included in the policy.

2. Read the following policy and customers' inquiries on exchange and refund. Then determine if the exchange or refund is possible or not.

 교환 · 환불 보증서

- 제품에 이상이 있으면 1년 이내에 교환이 가능합니다.
- 제품이 마음에 들지 않는 경우에는 일주일 이내에 교환 · 환불할 수 있습니다.
- 사용자의 부주의로 물건에 이상이 생긴 경우에는 교환 · 환불이 되지 않습니다.

1)

프레드 저는 어제 청소기를 샀어요.
청소를 하다가 실수로 청소기를 고장 냈어요.
다른 제품으로 바꾸고 싶은데, 가능할까요?

☐ 가능하다
☐ 불가능하다

2)

왕웨이 한 달 전에 청소기를 샀어요.
아직 한 번도 사용하지 않았는데 다시 보니
디자인이 마음에 들지 않아요. 다른 디자인으로
바꾸고 싶은데, 가능할까요?

☐ 가능하다
☐ 불가능하다

3)

이소연 저는 3개월 전에 청소기를 샀어요.
며칠 전부터 청소기를 사용할 때마다 소리가
너무 크게 나요. 새 제품으로 교환하고 싶은데,
가능할까요?

☐ 가능하다
☐ 불가능하다

2 The following is an article about a large discount store. Read it carefully and answer the questions.

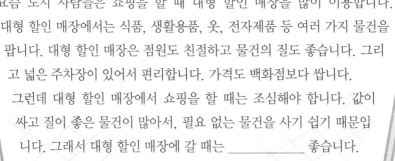

요즘 도시 사람들은 쇼핑을 할 때 대형 할인 매장을 많이 이용합니다.
대형 할인 매장에서는 식품, 생활용품, 옷, 전자제품 등 여러 가지 물건을
팝니다. 대형 할인 매장은 점원도 친절하고 물건의 질도 좋습니다. 그리
고 넓은 주차장이 있어서 편리합니다. 가격도 백화점보다 쌉니다.
　그런데 대형 할인 매장에서 쇼핑을 할 때는 조심해야 합니다. 값이
싸고 질이 좋은 물건이 많아서, 필요 없는 물건을 사기 쉽기 때문입
니다. 그래서 대형 할인 매장에 갈 때는 _____ 좋습니다.

1. Which of the following statements does NOT match the article?

① 대형 할인 매장에서는 좋은 물건을 싸게 팝니다.
② 대형 할인 매장에서 쇼핑을 하는 것은 편리합니다.

③ 대형 할인 매장의 물건은 백화점보다 좋지 않습니다.
④ 대형 할인 매장에서 생선이나 세탁기를 살 수 있습니다.

2. Choose the best phrase for the blank.

① 싼 물건을 잘 고르는 것이   ② 필요한 물건을 메모해 가는 것이
③ 사고 싶은 물건을 사는 것이   ④ 여러 가지 물건을 비교해 보는 것이

 쓰기 Writing

Where do you usually go shopping? Write about a store or a marketplace that you would recommend in your neighborhood.

1. Write the vocabulary and expressions that you would need to describe the store/marketplace you're going to recommend. Also, brainstorm how you would organize the information.

> 자주 가는 가게/시장:
>
> 그곳에서 주로 사는 물건:
>
> 그곳을 자주 가는 이유:
>
> 그곳의 특징:

2. Now, write about the store/marketplace that you chose using the information above.

가격 price   가능하다 to be possible

갖다 드리다 (polite) to go and give (something)

(사람)과 잘 맞다 to match (a person) well   권하다 to recommend

규모 scale, size   깨다 to break   대형 large size

디자인 design   미터 meter   배달하다 to deliver

보증서 warranty   부주의 carelessness   불가능하다 to be impossible

사용자 user, consumer   색깔별로 in each/every color   생활용품 household goods

수박 watermelon   스웨터 sweater   식품 food(s), grocery

이내 within   이상이 있다 to have a problem   자꾸 repeatedly

전자제품 electronics   점원 salesclerk   제품 product

주차장 parking lot   질이 좋다 to be of good quality   청소기 vacuum cleaner

편리하다 to be convenient   할인 매장 discount store

>>> 문화 Culture

>>> Famous Markets in Seoul

● Where do you go to buy the following items? What do you like about the stores?

    Clothing or shoes   Electronics   Groceries

There are many large markets which have a long history in Seoul, including Namdaemun Market, Dongdaemun Market and the Yongsan Electronics Market.

At Namdaemun and Dongdaemun Markets, you can find all sorts of items. The most well-known is the inexpensive, high quality apparel which draws many Koreans as well as foreign tourists.

At Yongsan Electronics Market, you can find items such as home appliances and computers. With the development of computer programs, Yongsan Electronics Market has been the driving force behind the growth of the IT industry in Korea.

However, because of the current rise in popularity of Internet- and home-shopping, the popularity of these markets has decreased. Nevertheless, there are still many people who enjoy visiting these markets.

● Are there famous markets in your home country? Talk about the places that you would like to recommend to foreigners.

>>> 자기 평가 Self-Assessment

Do you have a full understanding of what you have studied in this chapter? Assess your Korean using the table below and review the chapter again if necessary.

Assessment Items	Scale		
I can purchase and sell clothes, shoes and other items.	Excellent	Good	Poor
I can express the color and size of an item that I want to buy.	Excellent	Good	Poor
I can exchange an item if I don't like its size or color.	Excellent	Good	Poor

▶ **학습 목표 Learning Objectives**

Tasks 1. Listening to a conversation about plans for after graduation

2. Talking about the future plans / hopes

3. Reading the survey results on different professional choices and plans for after graduation

4. Writing about your future plans

Vocabulary & Expressions Professional choices, plans

Grammar 이/가 되다, −(으)려고 하다, −았/었/였으면 좋겠다, −거나

Culture Korean university students' plans for after graduation

>>> **들어가기 Warm-up**

● 오늘은 어떤 날인 것 같습니까? 이 사람들은 무엇이 되고 싶어합니까?

● 여러분들은 어렸을 때 꿈이 무엇이었습니까? 현재의 꿈은 무엇입니까?

1 Two students are talking about their plans for after graduation.

야오청 수미 씨는 대학 졸업하고 뭐 할 거예요?

수 미 회사에 취직할 거예요.

야오청 어떤 회사에 취직하려고 해요?

수 미 무역 회사에 취직했으면 좋겠어요. 야오청 씨는 한국어 과정을 마치고
　　　뭐 할 거예요?

야오청 저는 대학원에 진학하려고 해요.

수 미 뭘 전공할 거예요?

야오청 한국학을 전공할 거예요. 그래서 교수가 되고 싶어요.

2 Two people are talking about their vacation plans.

리사 민지 씨, 이제 곧 휴가예요. 민지 씨는 휴가 때 뭐 할 거예요?

민지 글쎄요. 아직 특별한 계획이 없어요. 리사 씨는 휴가 계획 세웠어요?

리사 저는 집에서 쉬거나 여행을 하려고 해요.

민지 집에서 쉬는 것보다 여행을 하는 게 좋겠네요.

리사 여행을 가는 게 좋을까요? 그럼 민지 씨, 나하고 여행 갈래요?

민지 고마워요. 생각해 볼게요.

New Words & Expressions 1

졸업하다 to graduate	취직하다 to become employed
무역 회사 trading company	과정을 마치다 to complete a course
진학하다 to go on to a school of higher education	곧 at once, soon
휴가 vacation	계획이 있다/없다 to have a/no plan　여행 travel

1 진로 Course

입학하다 to enter a school   졸업하다 to graduate

진학하다 to go on to a school of higher education

취직하다 to become employed   유학을 가다 to study abroad

휴학하다 to withdraw temporarily from school

◉— 연습 (Practice)

Fill in each blank with an appropriate word or expression from the box. Change the form if necessary.

입학하다	졸업하다	휴학하다	유학을 가다	취직하다

1. 회사에 _____ 벌써 5년이 지났습니다.
2. 작년에 _____. 그래서 아직도 1학년이에요.
3. 내년에 일본으로 _____. 그래서 요즘 일본어 공부를 열심히 하고 있어요.
4. 우리 언니는 결혼을 일찍 했습니다. 고등학교를 _____ 바로 결혼을 했습니다.

2 계획 Plans

계획을 세우다 to make a plan   목표를 정하다 to set a goal

준비하다 to prepare   노력하다 to make an effort

도전하다 to challenge

자격증을 따다 to obtain a certification (of qualification)

꿈을 이루다 to achieve one's dream   포기하다 to give up

◉— 연습 (Practice)

Complete each dialog by filling in the blank with an appropriate word or expression from the box. Change the form if necessary.

계획을 세우다	목표를 정하다	노력하다	포기하다	자격증을 따다

1 가: 휴가 때 뭐 할 거예요?

　나: 요즘 일이 너무 많아서 아직 ＿＿＿＿＿＿＿＿＿＿＿.

2 가: 저는 관광 가이드가 되고 싶어요.

　나: 그래요? 그럼 ＿＿＿＿＿＿＿＿＿＿. 9월에 시험이 있을 거예요.

3 가: 공부가 너무 힘들어서 ＿＿＿＿＿＿＿＿＿＿＿＿＿.

　나: 지금 공부를 그만두면 나중에 후회할 거예요. 조금만 더 노력해 보세요.

4 가: 취직 준비를 어떻게 해야 돼요?

　나: 어느 회사에 들어가고 싶어요? 먼저 ＿＿＿＿＿＿＿＿. 그리고 필요한 것을 준비하세요.

3 유용한 표현 Useful Expressions

꿈 / 장래 희망이 뭐예요? What do you want to become?

제 꿈은 사업가가 되는 거예요. I want to become a business person.

선생님이 되어서 학생들을 가르치고 싶어요.

I want to become a teacher and teach children.

졸업 후의 진로에 대해서 생각해 봤어요?

Have you thought of what you want to do after graduation?

휴가 계획을 세웠어요? Have you made your vacation plans?

글쎄요, 아직 특별한 계획이 없어요. Well, I don't have any plans yet.

⊙— 연습 (Practice)

Complete each dialog by choosing the appropriate sentence for the blank.

1 가: ＿＿＿＿＿＿＿＿＿＿＿＿＿

　나: 대학원에 가거나 유학을 갈 거예요.

　① 방학 계획을 세웠어요?　　② 졸업 후의 진로에 대해 생각해 봤어요?

2 가: 장래 희망이 뭐예요?

　나: ＿＿＿＿＿＿＿＿＿＿＿＿

　① 꿈을 꼭 이루고 싶어요.　　② 제 꿈은 교수가 되는 거예요.

3 가: 휴가 계획을 세웠어요?

　나: ＿＿＿＿＿＿＿＿＿＿＿＿

　① 고마워요. 생각해 볼게요.　　② 글쎄요, 아직 특별한 계획은 없어요.

1 이/가 되다

When "이/가 되다" is attached to a noun, it indicates that the subject of the sentence becomes something—the noun.

a) If the noun ends in a consonant, "이 되다" is used.

b) If the noun ends in a vowel, "가 되다" is used.

1 가: 민정 씨는 꿈이 뭐예요?

　나: 나는 의사가 되고 싶어요.

2 가: 진수 씨는 어떤 사람이 되고 싶어요?

　나: 약속을 잘 지키는 사람이 되고 싶어요.

3 가: 요즘은 별로 안 춥지요?

　나: 네, 봄이 되어서 따뜻해요.

4 가: 시간이 정말 빨라요.

　나: 맞아요. 벌써 12월이 되었어요

⊙― **연습 1**(Practice 1)

Complete each sentence by using "이/가 되다."

1 친구가 _____. 학교에서 한국어를 열심히 가르칩니다.

2 _____. 꽃이 피었습니다.

3 내년에 중학교를 졸업하고 _____.

4 _____. 그래서 한 달 동안 학교에 안 갑니다.

⊙― **연습 2**(Practice 2)

What did you want to become when you were younger? What do you want to become now? Talk with your partner using "이/가 되다."

1 초등학교 때

2 지금

2 –(으)려고 하다

When "–(으)려고 하다" is used with action verbs, it shows the speaker's plans or intentions to do something.

a) If the stem ends in a vowel or "ㄹ," "–려고 하다" is used.

b) If the stem ends in any consonant other than "ㄹ," "–으려고 하다" is used.

1 가: 졸업하고 뭐 할 거예요?

　나: 저는 회사에 취직하려고 해요.

2 가: 이번 방학에 뭐 할 거예요?

　나: 이번 방학에는 책을 많이 읽으려고 해요.

3 가: 오늘 저녁 메뉴는 뭐예요?

　나: 불고기를 만들려고 해요.

4 가: 민정 씨한테 전화했어요?

　나: 아니요, 지금 걸려고 해요.

◉─ 연습 1(Practice 1)

Complete each dialog by using "–(으)려고 하다."

1 가: 주말에 뭐 할 거예요?

　나: _____.

2 가: 공원에서 뭐 할 거예요?

　나: _____.

3 가: 아이가 왜 _____?

　나: 장난감을 안 사 줘서 그래요.

4 가: 그 책 다 읽었어요?

　나: 아니요, 이제 _____. 바빠서 다 못 읽었어요.

◉─ 연습 2(Practice 2)

Talk with your partner about one of the following plans using "–(으)려고 하다."

1 새해 계획　　　　　　2 방학/휴가 계획　　　　　　3 여행 계획

3 –았/었/였으면 좋겠다

When "–았/었/였으면 좋겠다" is attached to a verb, adjective or the "noun–이다" form, it expresses the speaker's hope or desire.

a) If the stem ends in a vowel "ㅏ" (excluding '하') or "ㅗ," "–았으면 좋겠다" is used.

b) If the stem ends in any vowel other than "ㅏ" or "ㅗ," "–었으면 좋겠다" is used.

c) For "하다," "–였으면 좋겠다" is used; however, it is often contracted to "했으면 좋겠다."

1 가: 주말에 뭐 하고 싶어요?
　나: 여행을 갔으면 좋겠어요.

2 가: 졸업하고 어떤 일을 하고 싶어요?
　나: 무역 회사에 취직했으면 좋겠어요.

3 가: 내일 등산 갈 준비 다 했어요?
　나: 네, 다 했어요. 내일 날씨가 맑았으면 좋겠어요.

4 가: 이번 겨울은 아주 춥네요.
　나: 맞아요. 빨리 봄이 되었으면 좋겠어요.

◉─ 연습 1 (Practice 1)

Complete each dialog by using "–았/었/였으면 좋겠다."

1 가: 진우 씨가 요즘 취업 준비 때문에 아주 바빠요.
　나: 진우 씨가 올해는 꼭 _____.

2 가: 어떤 사람이 되고 싶어요?
　나: _____.

3 가: 오늘은 정말 춥네요.
　나: 네, 맞아요. 내일은 _____.

4 가: 오늘 오후에 같이 영화 보러 갈까요?
　나: 오늘은 시간이 없어요. _____.

◉─ 연습 2 (Practice 2)

Where do you want to be in 10 years? Using "–았/었/였으면 좋겠다," talk with your partner about three of your hopes and dreams as shown in the example.

> **Ex.**
> 저는 사업가가 되었으면 좋겠어요. 그리고 넓은 집에서 살았으면 좋겠어요.
> 1년에 한 번씩 해외 여행을 했으면 좋겠어요.

4 –거나

When "–거나" is attached to the stem of a verb, adjective or the "noun–이다" form, it connects different alternative possibilities, forming "A거나 B," to mean *A or B*.

1 가: 방학 때 뭐 할 거예요?
　나: 여행을 가거나 아르바이트를 할 거예요.

2 가: 졸업하고 뭐 할 거예요?
　나: 대학원에 진학하거나 유학을 갈 생각이에요.

3 가: 민정 씨한테 어떻게 연락하면 되죠?
　나: 전화를 하거나 메일을 보내 보세요.

4 가: 영국은 날씨가 어때요?
　나: 흐리거나 비가 올 때가 많아요.

⊙— 연습 1 (Practice 1)

Complete each dialog by using "–거나."

1 가: 주말에 뭐 할 거예요?
　나: _____.

2 가: 여기서 공항까지 어떻게 가죠?
　나: _____.

3 가: 언제 부모님이 보고 싶어요?
　나: _____.

4 가: 감기에 걸렸어요.
　나: 그러면 _____.

⊙— 연습 2(Practice 2)

What do you do in the following situations? Talk with your partner using "–거나."

1 지루할 때   2 화가 날 때   3 외로울 때

>>> **대화 연습** Conversation Drill

Two people are talking about their plans for after graduation. Practice the conversation with a partner and then do it again using the information below.

제프리
- 희망: 회사 취직
  (한국과 관계 있는 회사)
- 준비: 한국어를 공부하다,
  지원서 쓰는 연습을 하다

아이린
- 희망: 한국어 선생님
  (대학원 진학)
- 준비: 대학원 입학시험을
  준비하다

아이린   제프리 씨는 졸업한 후에 뭐 할 거예요?

제프리   회사에 취직하려고 해요.

아이린   어떤 데로 가고 싶어요?

제프리   한국하고 관계 있는 회사였으면 좋겠어요.

아이린   그래요? 그럼 지금 어떤 준비를 하고 있어요?

제프리   한국어 공부를 열심히 하고 지원서를 쓰는 연습도 하고 있어요.
              아이린 씨는 졸업 후의 진로에 대해서 생각해 봤어요?

아이린   저는 한국어 선생님이 되고 싶어요. 내년에 대학원에 진학하려고 해요.
              그래서 요즘 대학원 입학시험을 준비하고 있어요.

1

호미란
- 희망: 대학원 진학
  (한국학이 유명한 학교)
- 준비: 한국어를 공부하다,
  한국 역사를 공부하다

바트
- 희망: 회사 취직
  (월급이 많은 회사)
- 준비: 기술을 배우다

2

호진
- 희망: 해외 유학
  (물가가 비싸지 않은 곳)
- 준비: 아르바이트를 하다,
  영어 공부를 하다

리펑
- 희망: 관광 가이드
  (여행사 직원)
- 준비: 한국어를 공부하다,
  자격증을 따다

>>> **과제** Tasks

 듣기 Listening Track 04

Students in a Korean language class are thanking their teacher and presenting their future plans. Listen carefully and circle **T**(True) or **F**(False).

1) 남자가 한국어를 배운 지 2년이 지났다.   **T**   **F**

2) 남자는 졸업 후의 진로를 확실히 정했다.   **T**   **F**

3) 여자는 졸업 후에 한국 회사에 취직하고 싶어한다.   **T**   **F**

4) 여자는 이미 목표를 정하고 미래를 준비하고 있다.   **T**   **F**

말하기 Speaking

Discuss your future plans or hopes with a partner.

1. What kind of plans or hopes for the future do you have? What made you choose them? What have you done to accomplish them? Write down your ideas in the table.

희망	이유	준비

2. Talk with your partner about your future plans or hopes you wrote about in the table.

 읽기 Reading

1 The following is a news article about Korean university students' future plans. Read it carefully and answer the questions.

1. What kind of plans do you think university students in Korea have for after graduation?

2. Read the following article and fill in the blanks for the graphs.

한국신문에서 대학생 500명에게 졸업 후의 계획에 대하여 물어보았다. 그 결과 회사에 취직을 하려고 하는 학생이 57.2%, 대학원에 가려고 하는 학생이 23.8%, 외국에 유학을 가려고 하는 학생이 11.5%였다. 그리고 결혼이라고 대답한 학생도 2.0%였다.

또한 취직을 하려고 하는 학생에게 희망하는 곳에 대하여 물어보았다. 그 결과, '일반 기업'을 희망하는 학생들이 27.3%로 가장 많았고, 그 다음으로 '공무원'이 22.4%, '신문·방송 일'이 19.1%였다.

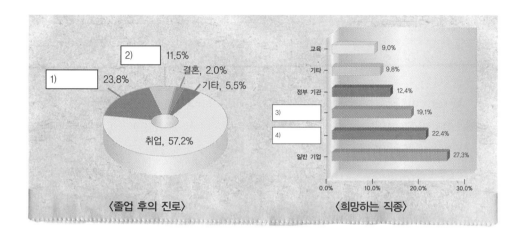

〈졸업 후의 진로〉 〈희망하는 직종〉

2 The following is a passage written by a student who is going to graduate from university. Read it carefully and answer the questions.

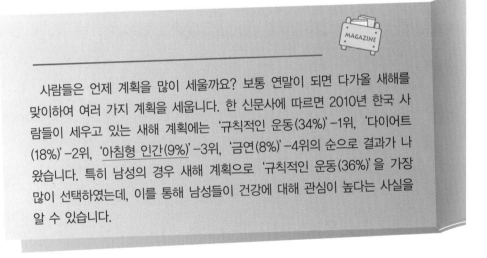

사람들은 언제 계획을 많이 세울까요? 보통 연말이 되면 다가올 새해를 맞이하여 여러 가지 계획을 세웁니다. 한 신문사에 따르면 2010년 한국 사람들이 세우고 있는 새해 계획에는 '규칙적인 운동(34%)'-1위, '다이어트(18%)'-2위, '아침형 인간(9%)'-3위, '금연(8%)'-4위의 순으로 결과가 나왔습니다. 특히 남성의 경우 새해 계획으로 '규칙적인 운동(36%)'을 가장 많이 선택하였는데, 이를 통해 남성들이 건강에 대해 관심이 높다는 사실을 알 수 있습니다.

1. What is the best title for this passage?

① 계획의 중요성   ② 건강과 운동
③ 한국인의 새해 계획   ④ 계획을 세우는 시기

2. What is the meaning of the underlined expression "아침형 인간"?

① 아침에 일하는 사람   ② 아침을 좋아하는 사람
③ 아침에 계획을 세우는 사람   ④ 하루를 일찍 시작하는 사람

 쓰기 Writing

Write about your plans or hopes for the future.

1. Where do you see yourself in the future, such as in your 30s, 40s and 60s? What do you need to prepare to accomplish your goals? Write down your ideas in the table.

미래	계획 · 희망	필요한 준비
30대		
40대		
60대		

2. Write about your plans or hopes for the future, using the information above.

New Words & Expressions 2

결과가 나오다 (result) to come out

관광 가이드 tour guide

규칙적인 regular, systematic

기술 technique, skill, technology

꿈을 이루다 to achieve one's dream

다가오다 to come up to, to approach

등산 mountain climbing

방법 method, way

새해 New Year

선택하다 to select, to choose

시기 (proper) time

아르바이트 part-time job

앞으로 in the future, from now on

–에 따르면 according to

일반 기업 business, company

장난감 toy

중요성 importance

지원 application

진로 course, path

–하고 관계 있다 to have a connection with

확실히 certainly, surely

희망하다 to hope for

경우 situation, case

관심이 높다 to be highly interested in

금연 quitting smoking

기타 the others, the rest

남성 male

다이어트 diet (to lose weight)

물가 price (of goods)

사업가 business person

새해를 맞이하다 to bring in the new year

순 order

신문사 newspaper (company)

아침형 인간 morning person

약속을 지키다 to keep a promise

연말 end of the year, year's end

입학시험 school entrance examination

장래 희망 hope for the future

지루하다 to be boring/dull

지원서 application form

진로를 정하다 to decide one's path or future

해외 유학 study abroad

후회하다 to regret, to be sorry (for)

>>> Korean University Students' Plans for After Graduation

- What do you think university students in Korea want to do after graduation? Choose what students may prefer.

  1. What type of job will be preferred?
     ① A job related to management, accounting and business
     ② A job related to culture, arts, design and broadcasting
     ③ A job related to education and natural/social science

  2. Who do students want to be employed by?
     ① Government agencies
     ② State-managed businesses and public corporations
     ③ Large private companies

- Read about Korean university students' plans for after graduation.

What do university students in Korea want to do after graduation? According to a survey conducted in 2008, over 50% of the university students in Korea wanted to "be employed" after graduation.

The preferred careers were:
1. management, accounting and business related careers,
2. culture, arts, design and broadcasting related careers, and
3. education and natural/social science related careers.

The types of enterprises that students wanted to be employed by were:
1. government agencies,
2. state-managed businesses and public corporations, and
3. large private companies.

The results show that many students value job stability most.

- Compare how university students in your country and in Korea differ in their thoughts about career paths after graduation as well as the factors students consider important when selecting a job.

>>> **자기 평가** Self-Assessment

Do you have a full understanding of what you have studied in this chapter? Assess your Korean using the table below and review the chapter again if necessary.

Assessment Items	Scale		
I can understand a conversation about future plans or hopes.	Excellent	Good	Poor
I can talk about my future plans or hopes.	Excellent	Good	Poor
I can read and understand a survey about career choices and a passage about plans for after graduation.	Excellent	Good	Poor

Request

부탁

▶ 학습 목표 Learning Objectives

Tasks 1. Listening to a conversation about asking a favor
2. Asking for a favor and accepting or rejecting one
3. Reading a note about asking a favor and a passage about techniques for asking for a favor
4. Writing a letter asking for a favor

Vocabulary & Expressions Requests & refusals, favors to ask

Grammar –(으)ㄹ래요, –아/어/여다 주다, –ㄴ데[1]

Culture Expressions Koreans use to refuse

>>> 들어가기 Warm-up

● 여기는 어디입니까? 지금 이 사람들은 무슨 이야기를 하고 있을까요?

● 다른 사람에게 부탁을 할 때는 어떻게 말해야 할까요? 또 부탁을 들어주거나 거절할 때는
어떻게 말해야 할까요?

>>> 대화 Dialogs

1 **Roommates in a dormitory are talking to each other.**

진호 바오 씨, 저 잠깐 세탁소 좀 갔다 올게요.

바오 세탁소요? 그럼 미안하지만 내 옷도 좀 찾아다 줄래요?

진호 뭘 맡겼어요?

바오 흰색 점퍼하고 검정색 바지를 맡겼어요. 이 보관증을 가지고 가면 돼요.

진호 알겠어요. 더 부탁할 건 없어요?

바오 네, 없어요. 옷만 찾아다 주면 돼요.

진호 알겠어요. 그럼 갔다 올게요.

2 **Two people are talking in a student lounge.**

조셉 재욱 씨, 부탁이 있는데 좀 들어줄 수 있어요?

재욱 무슨 부탁인데요?

조셉 다음 주에 일본에서 친구가 놀러 와요. 그 친구한테 서울 구경 좀 시켜 주세요.

재욱 서울 구경이요?

조셉 네. 경복궁이나 인사동 같은 곳에 가서 한국 문화에 대해서 이야기 좀 해 주면 돼요.

재욱 알겠어요. 그런데 언제요?

조셉 다음 주 금요일인데 시간 괜찮아요?

재욱 음……. 금요일에는 하루 종일 수업이 있는데 혹시 다른 날은 안 돼요?

조셉 금요일밖에 시간이 안 돼요.

재욱 그러면 미안하지만 같이 가기 어렵겠어요.

New Words & Expressions 1

세탁소 laundry	갔다 오다 to (go and) come back
맡기다 to leave (something) with (someone)	점퍼 jumper
보관증 receipt	구경(을) 시키다 to show someone around
경복궁 Gyeongbokgung Palace 인사동 Insa-dong	문화 culture
하루 종일 all day long 시간이 안 되다 to have no time	
−기 어렵다 to be difficult to	

1 부탁과 거절 Requests & Refusals

부탁하다 to ask for a favor

부탁을 받다 to receive a request

부탁을 들어주다 to grant a favor

부탁을 거절하다 to refuse/reject a favor

거절을 당하다 to be rejected

도움을 청하다 to ask for help

도와주다 to help

도움을 받다 to get help

⊙— 연습 (Practice)

Fill in each blank with an appropriate word or expression from the box. Change the form if necessary.

도와주다	도움을 받다	부탁하다	거절하다	들어주다

1 필요한 것이 있으면 저에게 _____.

2 친구가 "모임에 같이 가요."라고 말했지만 _____.

3 바쁘시겠지만 제 부탁 좀 _____.

4 어려운 일이 있을 때 _____ 친구가 정말 좋은 친구입니다.

2 부탁 내용 Favors to Ask

빌리다 to borrow

반납하다 to return (something)

맡기다 to leave (something) with (someone)

물건을 전하다 to deliver an item

옮기다 to move to

들다 to carry

고치다 to mend, to repair

심부름하다 to run an errand

⊙— 연습 (Practice)

Fill in each blank with an appropriate word from the box. Change the form if necessary.

들다	맡기다	옮기다	고치다	반납하다

1 냉장고를 저쪽으로 _____ 것 좀 도와주세요.

2 이 책 좀 도서관에 _____ 주세요.

3 이 옷 좀 세탁소에 _____ 주세요.

4 가방이 너무 무거우니까 같이 좀 _____ 주세요.

3 유용한 표현 Useful expressions

부탁이 있는데 들어줄 수 있어요? May I ask a favor of you?

바빠서 그러는데 이것 좀 도와주실래요?

I'm in a hurry, so could you please help me with this?

시간 있으면 저 좀 도와주시겠어요? Would you help me a bit if you have time?

제가 도울 일이 없습니까? Is there anything I can do for you?

바쁘신데 도와주셔서 감사합니다.

Thank you for helping me even though you are busy.

부탁을 들어줘서 고마워요. Thank you for helping me.

뭘요, 별것도 아닌데요. Oh, it was nothing much.

미안하지만, 부탁을 들어주기 어렵겠는데요.

I'm sorry, but it might be difficult for me to help you.

⊙— 연습 (Practice)

Complete the dialog by choosing the appropriate sentence for each blank.

가: 1 _____ 김밥 좀 사다 줄 수 있어요?

나: 네, 사다 줄게요. 2 _____

가: 김밥만 사다 주면 돼요. 3 _____

나: 뭘요, 4 _____

---

1 ① 바빠서 그러는데 　　　　　② 부탁이 있으면

2 ① 다른 부탁은 없어요? 　　　　② 제가 도울 일이 없을까요?

3 ① 바쁘시면 다음에 도와주세요. 　② 부탁을 들어줘서 고마워요.

4 ① 바쁘신데 감사합니다. 　　　　② 별것도 아닌데요.

1 –(으)ㄹ래요

When "–(으)ㄹ래요" is attached to a verb stem, it is used to ask a listener(2nd person) his/her intention or to indicate the speaker's plan.

a) If the stem ends in a vowel or "ㄹ," "–ㄹ래요" is used.

b) If the stem ends in any consonant other than "ㄹ," "–을래요" is used.

1 가: 저 좀 도와주실래요?
   나: 뭘 도와 드릴까요?

2 가: 우산 좀 빌려 줄래요?
   나: 여기 있어요.

3 가: 무슨 요리를 할 거예요?
   나: 불고기를 만들래요.

4 가: 뭘 먹을래요?
   나: 전 비빔밥을 먹을래요.

◉— 연습 1(Practice 1)

Complete each dialog by using "–(으)ㄹ래요."

1 가: 지금 사전 있으면 좀 _____?
   나: 네, 여기 있어요.

2 가: 무슨 음악을 들을래요?
   나: 저는 _____.

3 가: 내일 _____?
   나: 네, 도와줄게요.

4 가: _____?
   나: 저는 그냥 집에 있을래요.

◉— 연습 2(Practice 2)

Using "–(으)ㄹ래요," ask for favors in the following situations to your partner.

1 연필이 없을 때

2 가방이 무거울 때

3 할 일이 많을 때

4 한국어가 어려울 때

2 –아/어/여다 주다

When "–아/어/여다 주다" is attached to a verb stem, it is used to ask a favor or to do something for someone else. This denotes a movement in location. The honorific form "–아/어/여다 드리다" is used if the person receiving the action is older or when the speaker wishes to be polite.

a) If the stem ends in a vowel "ㅏ" (excluding '하') or "ㅗ," "–아다 주다" is used.

b) If the stem ends in any vowel other than "ㅏ" or "ㅗ," "–어다 주다" is used.

c) For "하다," "–여다 주다" is used: however, it is often contracted to "해다 주다."

1 가: 저 도서관에 갔다 올게요.

　나: 그러면 미안하지만 이 책 좀 찾아다 줄래요?

2 가: 혹시 문방구에 가서 풀하고 가위 좀 사다 줄 수 있어요?

　나: 죄송하지만 저도 지금 바빠서 나갈 수가 없겠는데요.

3 가: 짐이 많으시네요. 제가 들어다 드릴까요?

　나: 아니에요, 혼자 들고 갈 수 있어요.

4 가: 이 근처에 은행이 있어요?

　나: 네, 그런데 조금 찾기 어려워요. 제가 모셔다 드릴게요.

◉— 연습 1(Practice 1)

Fill in each blank with an appropriate word from the box. Change the form if necessary.

찾다	사다	모시다	들다	빌리다

1 가게에 가서 빵 좀 _____ 주세요.　　2 세탁소에서 제 옷 좀 _____ 주세요.

3 도서관에 가서 책 좀 _____ 주세요.　　4 이 가방 좀 집까지 _____ 주세요.

◉— 연습 2(Practice 2)

How would you request a favor in the following situations? Using "–아/어/여다 주다," practice asking for favors with a partner.

1 밥을 먹으러 갈 시간이 없을 때　　　　2 바빠서 자료를 찾으러 갈 수 없을 때

3 짐이 많아서 혼자서 들 수 없을 때　　　4 다리를 다쳐서 집까지 걸어가지 못할 때

3 −ㄴ데[1]

When "−ㄴ데" is attached to a verb, adjective or the "noun−이다" form, it connects two clauses and gives information or background for the following clause.

■ **The Present Tense**

1) "−는데" is attached to a verb or "있다/없다" adjective stem.

2) For an adjective or the "noun−이다" form,

    a) if the stem ends in a vowel or "ㄹ," "−ㄴ데" is used.

    b) if the stem ends in any consonant other than "ㄹ," "−은데" is used.

■ **The Past · Past Perfect Tense**

"−았/었/였는데" is attached to the verb, adjective or the "noun−이다" form.

■ **The Future Tense · Conjecture**

"−겠는데" is attached to the verb, adjective or the "noun−이다" form.

Part of Speech / Tense	Present	Past	Future · Conjecture
Verb, "있다/없다" adjective	−는데	−았는데	
Adjective, "Noun−이다" form	−ㄴ데 −은데	−었는데 −였는데	−겠는데

  1 가: 저기요, 부탁이 있는데 들어줄 수 있어요?

     나: 무슨 부탁이에요?

  2 가: 컴퓨터가 이상한데 좀 봐 주시겠어요?

     나: 잠깐만 기다리세요. 이 일을 끝내고 봐 드릴게요.

  3 가: 어제 산에 갔는데 갑자기 비가 와서 고생했어요.

     나: 우산을 안 가지고 갔어요?

  4 가: 오늘이 수미 생일인데 알고 있어요?

     나: 그래요? 전 몰랐어요.

⊙— 연습 1(Practice 1)

Complete each dialog by using "−ㄴ데."

  1 가: _____ 김밥 좀 사다 주실래요?

     나: 네, 지금 사다 줄게요.

2 가: 저 분이 누구예요?

　나: _____ 꽤 유명한 화가예요.

3 가: _____ 손님이 무척 많았어요.

　나: 그 식당에는 언제나 손님이 많아요.

4 가: 죄송하지만, 커피 한 잔만 주시겠어요?

　나: _____ 녹차는 어떠세요?

◉— 연습 2 (Practice 2)

How could you make the following requests? Using "-ㄴ데," practice making requests with your partner.

1 짐을 들어 주는 것　　　　　2 공책을 사다 주는 것

3 휴대전화를 빌려 주는 것　　4 한국어 숙제를 도와주는 것

>>> 대화 연습 Conversation Drill

A person is asking a favor of his/her friend. Practice the conversation with a partner and then do it again using the information below.

- 상황: 세탁소에 가려는 친구에게 부탁을 한다.
- 부탁하는 이유: 지금 너무 바빠서
- 부탁하는 내용: 세탁소에서 옷을 찾고, 김밥을 사오는 것

가　저 잠깐 세탁소에 좀 갔다 올게요.

나　세탁소요? 그럼 미안하지만 부탁 좀 해도 될까요? 지금 너무 바빠서 그러는데 내 옷도 좀 찾아다 줄 수 있어요?

가　뭘 맡겼는데요?

나　흰색 점퍼하고 검정색 바지를 맡겼어요. 이 보관증을 가지고 가면 돼요.

가　알겠어요. 더 부탁할 건 없어요?

나　올 때 가게에서 김밥 좀 사다 주세요. 이렇게 부탁만 해서 미안해요.

가　아니에요. 그럼 갔다 올게요.

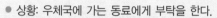

1
- 상황: 우체국에 가는 동료에게 부탁을 한다.
- 부탁하는 이유: 중요한 전화를 기다리고 있다
- 부탁하는 내용: 우체국에서 소포를 찾고, 문방구에서 공책을 사오는 것

2
- 상황: 학교에 가는 친구에게 부탁을 한다.
- 부탁하는 이유: 몸이 안 좋다
- 부탁하는 내용: 도서관에 책을 반납하고, 약을 사오는 것

>>> **과제** Tasks

 듣기 Listening

🔊 Track 05

Listen carefully to the conversation and choose what the man will do this weekend. More than one answer is possible.

①

여자에게 차를 빌려 줍니다.

②

여자의 사진을 찍어 줍니다.

③

여자에게 사진기를 빌려 줍니다.

④

여자를 미술관 근처까지 태워다 줍니다.

 말하기 Speaking

How would you make requests in the following situations? What would you say if you accepted or rejected a request? Role-play as A and B below.

1. Think of useful expressions for making requests as well as expressions for accepting or refusing requests.

2. Role-play as A and B: A makes requests and B accepts or refuses them.

1) A) You ask a friend to return a book you borrowed from the library and to borrow another one for you.

   B) You are going to the library. You ask your friend if there's anything you can do for him/her. If yes, you accept his/her requests.

2) A) You are so busy writing a paper that you have no time to eat lunch. You ask your roommate to buy some bread and a drink for you.

   B) You are free. You accept to do his/her favor and ask if he/she has any other requests.

3) A) You wrote a paper in Korean, but you are not confident of your writing. You ask your Korean friend to check your paper in the evening if he/she is free.

   B) You have no time today. You tell your friend that you cannot help him/her.

 읽기 Reading

1 Michael(마이클) has left a message to his roommate Hitoshi(히토시). Read it carefully and mark all of the requests that Michael makes.

> 히토시,
>
> 갑자기 급한 일이 생겨서 시내에 가야 되는데 자고 있어서 이렇게 메모를 해요.
> 미안하지만 내 부탁 좀 들어주세요.
> 내 책상 위에 미경 씨한테서 빌린 한국사 책이 있어요. 이 책 좀 미경 씨 한테 갖다 줄래요?
> 그리고 오후 세 시에 정미 씨와 우체국 앞에서 만나기로 했어요. 그런데 나갈 수가 없어서 정미 씨에게 몇 번 전화를 했지만 안 받아요. 이따가 정미 씨와 같이 듣는 수업이 있지요? 정미 씨에게 좀 전해 주세요.
> 갑자기 부탁해서 미안해요. 이따가 전화할게요.
>
> 마이클

① 마이클 씨한테 전화하기 ② 미경 씨한테 책 돌려주기
③ 정미 씨에게 메시지 전하기 ④ 우체국에 가기

2 The following is a reading passage on techniques for making requests. Read it carefully and circle **T**(True) or **F**(False).

> 부탁을 할 때는 기술이 필요하다. 먼저 왜 부탁을 하는지 정확하게 이야기하고, 상대에게 무슨 일을 어떻게 도와주면 되는지 잘 설명해야 한다.
>
> 그리고 상대가 부탁을 거절하면 빨리 다른 사람을 찾아야 한다. 거절을 했는데 계속해서 부탁을 하는 것은 좋지 않다. 부탁을 거절하는 것도 부탁을 하는 것처럼 어려운 일이기 때문이다. 부탁을 거절한 사람은 부탁을 들어주지 못한 것을 미안하게 생각한다. 그래서 다음에 같은 사람이 다시 부탁을 하면 들어주기 위해 노력한다. 거절한 사람을 귀찮게 하지 않기, 혹은 오히려 거절한 사람이 미안해 하도록 만들기. 이것이 진정한 부탁의 기술이다.

1) 부탁을 할 때는 부탁을 하는 이유를 말해야 한다.   **T**   **F**

2) 상대가 부탁을 거절하면 여러 번 부탁하는 것이 좋다.   **T**   **F**

3) 부탁을 하는 것보다 부탁을 거절하는 것이 더 어렵다.   **T**   **F**

4) 다른 사람의 부탁을 거절한 사람은 다음에 그 사람의 부탁을 들어줄
   가능성이 높다.   **T**   **F**

 쓰기 Writing

Suppose you go on an unexpected business trip for ten days, and write a letter to one of your friends or neighbors to ask a few favors.

1. Read the following information and think about which requests to make.

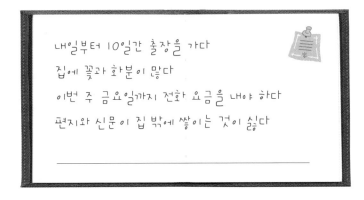

내일부터 10일간 출장을 가다
집에 꽃과 화분이 많다
이번 주 금요일까지 전화 요금을 내야 하다
편지와 신문이 집 밖에 쌓이는 것이 싫다

2. First of all, write the reason(s) why you have to make the requests.

_____ 씨, 갑자기 내일 _____

_____

3. Write down your requests.

화분은 _____.

그리고 전화 요금_____.

신문과 편지_____.

_____.

4. Write down a sentence which wraps up your letter.

_____ 씨도 바쁜데 _____

_____

5. Write a letter of request using the information above.

가위 scissors

계속해서 continuously

교통이 불편하다 (transportation) to be inconvenient

−기로 하다 to intend to (do something)

모시다 to serve

문방구 stationery

버스 편 bus route

보고서 report, paper

소포 package, parcel

시간이 없다 to have no time

쌓이다 to be piled up

−일간 for (the number of) days

전시회 exhibition

정확하게 accurately, precisely

풀 glue

화분 flowerpot

검토하다 to review

고장(이) 나다 to be broke down

기술 art, skill, technique

모임 social gathering, meeting

미술관 art gallery

별 것 something special

상대 counterpart, companion

수업을 듣다 to attend a class

시내 downtown

알아보다 to check, to find out

전시하다 to exhibit

전화요금 phone (service) fee

출장을 가다 to go on a business trip

한국사 Korean history

>>> 문화 Culture

>>> Expressions Koreans Use to Refuse

- Do people in your country tend to be direct or indirect when refusing a request?

- Read the following passage and find out the expressions Koreans use to refuse a request.

Koreans tend to refuse requests indirectly by using phrases such as "I will think about it" because they believe that direct refusals are impolite. In addition, when refusing directly, Koreans tend to add phrases such as "I'd like to help you, but..." and "It would be great if I could help you, but..." before the refusal; or "I'll try to help you next time" after the refusal in order to let people know that they have a desire to help but unforeseen circumstances prevented them. This is done in consideration of others to avoid offending them.

● Are there any common expressions that people in your country use to refuse a request? How are they different from those used in Korea?

>>> ## 자기 평가 Self-Assessment

Do you have a full understanding of what you have studied in this chapter? Assess your Korean using the table below and review the chapter again if necessary.

Assessment Items	Scale		
I can understand the expressions used to make requests.	Excellent	Good	Poor
I can listen to a request and then accept or reject it according to my situation.	Excellent	Good	Poor
I can read and write about making a request.	Excellent	Good	Poor

06 Job Offer · Job Hunting
구인 · 구직

▶ 학습 목표 Learning Objectives

Tasks 1. Listening to a conversation about jobs
2. Role-playing as an applicant and interviewer
3. Reading a job advertisement and a passage about the type of new employees that companies prefer
4. Writing a résumé

Vocabulary & Expressions Job offer/hunting, application documents, salary & benefits

Grammar –다가, –(으)면, –지 알다/모르다

Culture Jobs that Koreans prefer

>>> **들어가기 Warm-up**

- 이 사람은 지금 무엇을 하고 있습니까?
- 여러분은 구인 광고를 본 적이 있습니까? 구인 광고에는 어떤 내용이 포함되어 있습니까?

1 Two students are talking about a job advertisement.

진호 리사 씨, 시대자동차의 신입사원 모집 공고가 났어요. 관심이 있으면 취업
   게시판에 한번 가 보세요.

리사 저도 여기 오다가 봤어요. 그런데 졸업 예정자도 지원할 수 있는지 모르겠어요.
   자격 요건에는 대학교 졸업 이상이라고만 되어 있어서요.

진호 혹시 모르니까 전화로 한번 물어보세요.

리사 그럴까요?

진호 그리고 외국인의 경우는 따로 내야 하는 서류가 있을 수 있으니까 그것도 확인해
   보고요.

리사 알겠어요.

2 A person is inquiring about how to apply for a car company.

직원 네, 시대자동차 인사과의 최준석입니다.

리사 신입사원 모집 공고를 보고 문의드릴 게 있어서 전화 드렸는데요. 혹시 졸업
   예정자도 지원할 수 있습니까?

직원 졸업이 언제시죠?

리사 이번 8월입니다.

직원 그러면 지원 가능합니다.

리사 저는 미국 사람인데요, 따로 제출해야 하는 서류가 있습니까?

직원 아, 그러세요? 입사지원서, 자기 소개서, 졸업이나 졸업 예정 증명서는 똑같고
   요. 추가로 여권 사본을 제출하셔야 합니다. 한국어 능력을 증명할 수 있는
   서류가 있으면 한 부 복사해서 제출해 주시고요.

리사 네, 알겠습니다. 감사합니다.

신입사원 new employee   모집 공고 job advertisement   취업 게시판 job board

졸업 예정자 graduate-to-be   지원하다 to apply

자격 요건 conditions of eligibility   따로 additionally, separately

내다 (=제출하다) to submit   확인하다 to check   인사과 personnel department

입사지원서 application form   자기 소개서 personal statement

추가 addition   사본 photocopy   부 (the number of) copy

>>> 어휘 및 표현 Vocabulary & Expressions

1 구인 · 구직 Job Offer · Job Hunting

구인 광고 job advertisement   자격 요건 conditions of eligibility

신입사원 new employee   사무직 office work

기술직 technical work   계약직 contract work

서류 document(s)   제출하다 to submit, to present

지원하다 to apply   면접 (job) interview

취직 gaining employment   업무 business, duty

⊙— 연습 (Practice)

Fill in each blank with an appropriate word from the box. Change the form if necessary.

업무	면접	구인 광고	계약직	지원하다	제출하다

1 월말이 되면 정리해야 할 _____ 많아서 퇴근이 늦어요.

2 우리 회사에서는 1년간 일할 _____ 사원을 모집하고 있습니다.

3 _____ 볼 때는 옷을 단정히 입는 것이 좋아요.

4 대학 졸업자뿐만 아니라 졸업 예정자도 _____ 수 있습니다.

2 제출 서류 Application Documents

이력서 résumé   지원서 application form

자기 소개서 personal statement 　　졸업 증명서 certificate of graduation, diploma
성적 증명서 academic transcript 　　경력 증명서 certificate of employment
추천서 letter of recommendation 　　자격증 certificate
어학 성적 증명서 (language) transcript 신분증 사본 copy of identification

⊙― 연습 (Practice)

Fill in each blank with an appropriate word from the box.

지원서	자기 소개서	이력서	추천서	신분증 사본

1 학력과 경력을 중심으로 _____을/를 간단히 작성하여 제출하시기 바랍니다.
2 그 회사에 지원하기 위해 교수님께 _____을/를 써 달라고 부탁 드렸어요.
3 회사 홈페이지에서 _____을/를 다운로드 받아서 작성하십시오.
4 여권이나 운전 면허증과 같은 _____을/를 제출하시기 바랍니다.

3 급여와 복지 Salary & Benefits

급여 salary, pay 　　　　　일당 daily wage, daily allowance
월급 monthly salary 　　　수당 extra pay
연봉 annual salary 　　　　보험 insurance
휴가 vacation 　　　　　　승진하다 to be promoted
퇴직하다 to retire 　　　　퇴직금 pension, retirement pay

⊙― 연습 (Practice)

Fill in each blank with an appropriate word from the box. Change the form if necessary.

퇴직하다	근무 조건	승진하다	연봉	휴가

1 김민수 씨가 대리에서 팀장으로 _____.
2 일 년에 _____ 며칠쯤 됩니까?
3 능력에 따라 받는 _____ 다릅니다.
4 그동안 다니던 회사를 _____ 가게를 열었습니다.

4 유용한 표현 Useful Expressions

신입사원 채용 시기가 언제입니까?

When is the hiring period for new (job) applicants?

자격 요건이 어떻게 됩니까? What are the necessary qualifications?

졸업 예정자도 지원할 수 있습니까? I am expecting to graduate soon; can I apply?

근무 조건이 어떻게 됩니까? What are the working conditions?

자기 소개서는 한국어로 작성해야 합니까?

Do I have to write a personal statement in Korean?

지원서는 직접 제출해야 합니까?

Do I have to submit an application form in person?

한국어능력시험 6급 합격증이 있습니다. I have a certificate of TOPIK level 6.

연습 (Practice)

Complete the dialogs by choosing the appropriate sentence for each blank.

1 가: _____

　　나: 매년 5월과 10월입니다.

　　① 지원서 제출 기간이 언제까지입니까?

　　② 신입사원 채용 시기가 언제입니까?

2 가: _____

　　나: 대학을 졸업하셨으면 지원할 수 있습니다.

　　① 자격 요건이 어떻게 됩니까?

　　② 졸업 예정자도 지원할 수 있습니까?

3 가: _____

　　나: 아니요, 우편이나 인터넷으로 접수하셔도 됩니다.

　　① 제출 서류가 어떻게 됩니까?

　　② 서류는 직접 제출해야 합니까?

4 가: _____

　　나: 월요일부터 금요일까지 근무입니다.

　　① 근무 조건이 어떻게 됩니까?

　　② 월급은 언제 받습니까?

>>> **문법** Grammar

1 –다가

When "–다가" is attached to a verb stem, it indicates that an action is connected to another action before it is completed, or another action is occurring at the same time as the main action. The subject must be the same for both actions.

1 가: 사원 모집 광고를 어디에서 봤어요?
　나: 신문을 읽다가 우연히 봤어요.

2 가: 어떻게 이 회사 직원이 되었어요?
　나: 인턴사원으로 일하다가 정식 직원이 되었어요.

3 가: 버스정류장이 어디에 있어요?
　나: 똑바로 가다가 병원을 지나서 왼쪽으로 가세요.

4 가: 뛰어오다가 넘어졌어요.
　나: 어디 봐요. 약을 발라야겠네요.

◉— **연습 1**(Practice 1)

Complete each dialog by using "–다가."

1 가: 신입사원 채용 소식을 어디에서 들었어요?
　나: 친구들과 ＿＿＿＿＿＿＿＿＿＿＿＿＿＿＿＿＿.

2 가: ＿＿＿＿＿＿＿＿＿＿＿＿＿＿ 잤어요.
　나: 무슨 음악이었는데요?

3 가: 어제 영화 끝까지 다 봤어요?
　나: 아니요, ＿＿＿＿＿＿＿＿＿＿＿＿＿＿＿＿＿.

4 가: 서점이 어디에 있어요?
　나: ＿＿＿＿＿＿＿＿＿＿＿＿＿＿＿＿＿＿＿.

What action would have taken place before doing the following actions? Or what occurred while doing the following actions? Talk with your partner using "–다가."

1 취직 시험 준비를 하다   2 운동을 하다
3 텔레비전을 보다   4 차/커피를 마시다

2 –(으)면

When "–(으)면" is attached to a verb, adjective or the "noun–이다" form, it indicates that the following situation is possible when the information given before is assumed or the previous condition is given. "–으면" is generally used, but if the action is assumed to be completed, "–았/었/였으면" is used.

a) If the stem ends in a vowel or "ㄹ," "–면" is used.
b) If the stem ends in a consonant other than "ㄹ," "–으면" is used.

1 가: 경력 증명서를 꼭 제출해야 합니까?
   나: 경력이 없으면 제출하지 않아도 됩니다.

2 가: 승진하면 한턱내세요.
   나: 네, 그럴게요.

3 가: 나중에 돈을 많이 벌면 뭘 하고 싶어요?
   나: 세계 여행을 하고 싶어요.

4 가: 일이 끝났으면 같이 퇴근합시다.
   나: 먼저 가세요. 저는 할 일이 더 남았어요.

⊙— 연습 1 (Practice 1)

Complete each dialog by using "–(으)면."

1 가: 무역 회사에 취직하고 싶습니다.
   나: _____ 외국어 공부를 열심히 하세요.

2 가: 커피를 드릴까요?
   나: 저는 _____ 잠을 못 자요. 주스를 주세요.

3 가: 내일 _____ 등산을 안 갈 거예요?
   나: 아니요, 비가 와도 갈 거예요.

4 가: _____ 출발합시다.

　　 나: 잠깐만요. 아직 민수 씨가 안 왔어요.

⊙— 연습 2(Practice 2)

What would you do in the following situations? Talk with your partner using "-(으)면."

1 회사에 취직하다　　　　 2 돈을 많이 벌다　　　　 3 노인이 되다

3 -지 알다/모르다

When "-지 알다/모르다" is attached to a verb, adjective or the "noun-이다" form, it explains whether the information presented before is known or unknown.

■ The Present Tense

1) For verbs or "있다/없다" adjectives, "-는지 알다/모르다" is used.

2) For adjectives or the "noun-이다" form,

　　 a) if the stem ends in a vowel or "ㄹ," "-ㄴ지 알다/모르다" is used.

　　 b) if the stem ends in a consonant other than "ㄹ," "-은지 알다/모르다" is used.

■ The Past · Past Perfect Tense

"-았/었/였는지 알다/모르다" is attached to the verb, adjective or the "noun-이다" form.

■ The Future Tense · Conjecture

a) If the stem ends in a vowel or "ㄹ," "-ㄹ지 알다/모르다" is used.

b) If the stem ends in a consonant other than "ㄹ," "-을지 알다/모르다" is used.

Part of Speech ＼ Tense	Present	Past · Past Perfect	Future · Conjecture
Verb, "있다/없다" adjective	-는지 알다/모르다	-았는지 알다/모르다	-ㄹ지 알다/모르다 -을지 알다/모르다
Adjective	-ㄴ지 알다/모르다	-었는지 알다/모르다	
"Noun-이다" form	-은지 알다/모르다	-였는지 알다/모르다	

1 가: 언제 합격자 발표를 하는지 알아요?

　　 나: 네, 다음 주 월요일 오후 세 시에 해요.

2 가: 제출해야 하는 서류가 무엇인지 알아요?

　　 나: 지원서하고 자기 소개서, 학력 증명서예요.

3 가: 수미 씨 기분이 왜 좋은지 알아요?

　　 나: 네, 오늘 남자 친구한테서 장미꽃을 선물 받았어요.

4 가: 철민 씨가 어디 갔는지 알아요?

　　나: 아니요, 어디 갔는지 몰라요.

⊙— **연습 1 (Practice 1)**

Complete each dialog by using "–지 알다/모르다."

1 가: 우리가 언제 처음 만났죠?

　　나: 글쎄요. _____ 잘 모르겠어요.

2 가: 어느 산이 세계에서 가장 높아요?

　　나: _____ 저도 잘 모르겠어요.

3 가: 시청에 어떻게 가는지 아세요?

　　나: 아니요, _____ 몰라요.

4 가: 저 사람이 _____?

　　나: 네, 알아요. 영철 씨 친구예요.

⊙— **연습 2 (Practice 2)**

Make quiz questions as shown in the example and ask and answer the questions
with a partner.

> **Ex.**
>
> 　　　　　가: 한글을 누가 만들었는지 알아요?
>
> 　　　　　나: 네, 누가 만들었는지 알아요. 세종대왕이에요.
>
> 　　　　　　　아니요, 한글을 누가 만들었는지 몰라요.

주제	질문	대답
직업	_____에서 가장 인기 있는 직업	
인물	세계에서 가장 돈이 많은 사람	

>>> **대화 연습** Conversation Drill

Two people are talking about applying to a company. Practice the conversation with a partner and then do it again using the information below.

○ **채 용 정 보** ○

㈜한국디자인
상반기 신입사원 모집

모집 분야: 디자인
모집 인원: O명
지원 자격: 4년제 대학(원) 졸업자 및 졸업 예정자
전형 방법: 서류 전형 후 면접
제출 서류: 자기 소개서, 포트폴리오

진호 민수 씨, 어느 회사에 지원했어요?

민수 한국디자인 회사에 지원했어요.

진호 그 회사에서는 어떻게 신입사원을 뽑아요?

민수 서류 전형과 면접으로 뽑아요.

진호 제출해야 하는 서류가 많아요?

민수 자기 소개서하고 그동안 디자인한 작품의 포트폴리오만 내면 돼요.

진호 잘 되었으면 좋겠네요.

1

○ **채 용 정 보** ○
대한은행
상반기 신입 및 경력사원 모집

모집분야: 대출 상담
모집인원: OO명
지원자격: 4년제 대학(원) 졸업자 및 졸업 예정자
전형방법: 서류 전형, 면접
제출서류: 입사 지원서, 졸업 증명서,
　　　　　성적 증명서, 한국어능력 증명서

2

○ **채 용 정 보** ○
㈜미래가구
상반기 신입 및 경력사원 모집

모집분야: 영업/수출
모집인원: O명
지원자격: 4년제 대학(원) 졸업자 및 졸업 예정자
전형방법: 구술 시험, 면접
제출서류: 자기 소개서, 어학 성적 증명서

듣기 Listening　　　　　　　　　　　　　　　◀Track **06**

Two people are talking about jobs. Listen carefully and circle **T** (True) or
F (False).

1) 여자의 어릴 때 꿈은 교사였다.　　　　　　**T** **F**

2) 남자는 청소년 직업 선호도를 조사하고 있다.　**T** **F**

3) 가수나 탤런트가 되고 싶어하는 청소년이 많다.　**T** **F**

🎤 **말하기** Speaking

You saw a job advertisement for a company on the school bulletin board.
Some information, such as working conditions, salary, qualifications,
documents list, etc., are not explained in detail. Role-playing as an applicant
and a company employee, talk about the job advertisement.

1. If you were the applicant, what would you ask? Write down your questions.

> 1) 지원 자격
>
> 2) 제출 서류
>
> 3)
>
> 4)

2. If you were the company employee, how would you respond to the applicant's questions?

1) 지원 자격

2) 제출 서류

3)

4)

3. Now role-play as an applicant and a company employee.

 읽기 Reading

1 Read the following job advertisement and circle (T)(True) or (F)(False).

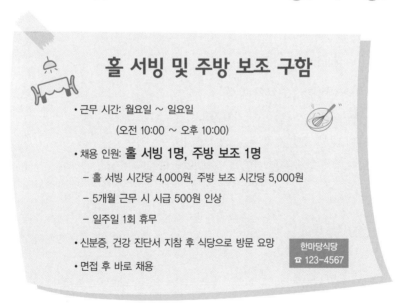

홀 서빙 및 주방 보조 구함

• 근무 시간: 월요일 ~ 일요일
  (오전 10:00 ~ 오후 10:00)

• 채용 인원: 홀 서빙 1명, 주방 보조 1명

  – 홀 서빙 시간당 4,000원, 주방 보조 시간당 5,000원

  – 5개월 근무 시 시급 500원 인상

  – 일주일 1회 휴무

• 신분증, 건강 진단서 지참 후 식당으로 방문 요망

• 면접 후 바로 채용

한마당식당
☎ 123-4567

1) 주방에서 일하면 돈을 더 받는다.   T   F

2) 5개월 이상 일하면 시급이 인상된다.   T   F

3) 필요한 서류는 없고 면접만 본다.   T   F

4) 자기 소개서를 보내고 식당에 찾아가야 한다.   T   F

2 Read the following passage and answer the questions.

> 기업에서 원하는 인재는 어떤 사람일까? 기업에서 채용을 희망하는 신입사원은 부서에 따라 조금씩 차이가 있지만 일반적으로는 다음과 같다. 첫째, 대인관계를 잘 하는 사람, 둘째, 폭넓은 교양을 갖춘 사람, 셋째, 인간미가 넘치는 사람, 넷째, 전문적인 지식이 풍부한 사람이다. 최근에는 대인관계를 중요하게 생각하기 때문에 다른 사람들과 잘 어울릴 수 있는 사람이 인기가 높다고 한다.

1. What is the best title for this passage?

① 인기 있는 사람
② 대인관계의 중요성
③ 신입사원 채용 안내
④ 기업에서 선호하는 인재

2. Which of the following statements is true?

① 전문적인 지식은 별로 중요하지 않다.
② 업무 처리 능력이 높은 사람이 인기가 있다.
③ 다양한 분야에 대한 교양을 갖추는 것이 좋다.
④ 채용을 희망하는 신입사원은 기업에 따라 크게 다르다.

 **쓰기** Writing

The following is a sample résumé. Write your own résumé using the following format.

이 력 서
지원 부서:＿＿＿＿＿＿

가. 인적 사항		
사진	성 명	
	현 주 소	
	전화번호	
	전자우편	

나. 학력 사항	
2004. 02. 20.	○○ 고등학교 졸업

다. 경력 사항	
2009. 09. 30.	○○ 기획부 근무

위 내용은 사실과 같습니다.

20　년　월　일

지원자:　　　　(인)

가게를 열다 to open a business/store/shop | 간단히 simply, briefly

건강 진단서 health diagnosis | 경력 work experience, credentials

경력 사항 career | 광고 advertisement | 교사 teacher, instructor

교양 education, culture | 구술 시험 oral examination | 구하다 to look for, to seek

근무 조건 working conditions | 넘치다 to overflow, to run over

다운로드 받다 to download | 단정히 properly, neatly | 대리 deputy/assistant manager

대인 관계 interpersonal skills | 대학 졸업자 university graduate

등 et cetera, and so on | 디자인하다 to design | 뛰어오다 to run toward

모집하다 to recruit | 무역 회사 trading company | 바르다 to apply

발표 presentation | 부서 department | 사원 모집 staff recruitment

서류 전형 selection of candidates based on their résumés | 선호도 preference

세계 world, globe | 시간당 per hour | 시급 payment by the hour

시청 City Hall | 신문 기사 newspaper article | 요망 demand, desire

우연히 by chance | 원하다 to desire, to wish | 월말 the end of the month

—을/를 중심으로 (to put something) as the central focus | 인 signature

인간미 humaneness | 인상 raise, increase | 인원 the personnel

인재 competent person, talent | | 인적 사항 personal background

인턴사원 intern | 일반적으로 generally | 작성하다 to draw up, to write

작품 (piece of) work, product | 전문적이다 to be professional

전자우편 e-mail | 전형 방법 screening process | 정리하다 to organize

정식 직원 full-time employee/staff | | 조사하다 to investigate

주방 보조 kitchen assistant | 지식 knowledge, information

지원자 applicant, candidate | 지참 bringing, bearing | 차이 difference, gap

채용 employment | 청소년 teenager | 탤런트 talent

팀장 team leader | 포트폴리오 portfolio | 폭넓다 to be extensive/wide

풍부하다 to be abundant | 학력 academic background

학력 사항 educational background | | 한턱내다 to treat (someone)

합격자 successful candidate | 현주소 current address | 홀 서빙 waitering

홈페이지 homepage | 휴무 day off (of work) | 희망하다 to hope, to wish

>>> **문화** Culture

>>> Jobs that Koreans Prefer

- What are popular jobs in Korea? Do you think the popularity of jobs changes with changes in society? Talk about the changes in which jobs are popular in Korea.

● Read the following passage about the changes in the jobs that Koreans prefer.

Korean youths' attitudes toward occupations seem to be changing. During the economic boom, there was a strong tendency to prefer any occupation that focused on growth and development. For this reason, occupations at large corporations or those related to finance, which offer high salaries and significant room for self-growth, were most popular.

However, when the Korean economy plateaued, people began to place more importance on quality of life rather than growth. This began to change people's attitudes toward occupations. People began to prefer professional occupations that offered flexible hours as well as high incomes rather than occupations that bound them to their desks. Accordingly, professional occupations such as physician and attorney began to gain popularity. In addition, occupations that allow room for individuality and freedom, such as that of an entertainer or athlete have become the dream jobs that many youths desire. On the other hand, stable occupations that offer lifelong employment, such as government employees or teachers, are also gaining significant popularity.

● Explain and talk about the jobs that young people in your country prefer.

>>> **자기 평가** Self-Assessment

Do you have a full understanding of what you have studied in this chapter? Assess your Korean using the table below and review the chapter again if necessary.

Assessment Items	Scale		
I can read and understand a job advertisement.	Excellent	Good	Poor
I can ask for information about the company to which I want to apply.	Excellent	Good	Poor
I can write a simple résumé by following a format.	Excellent	Good	Poor

07

How to Get Along
근황

▶ 학습 목표 Learning Objectives

Tasks 1. Listening to a conversation about the present
2. Talking about the present
3. Reading a letter about how someone is doing
4. Answering a letter about how someone is doing

Vocabulary & Expressions Getting along, changes in one's life
Grammar Informal speech[1](−아/어/여, −(이)야, −자)
Culture Informal speech in Korean

● 두 사람은 지금 무슨 이야기를 하고 있을까요?
● 오랫동안 만나지 못한 친구를 만나면 무슨 이야기를 합니까?

>>> **대화 Dialogs**　　　　　　　　　　　　　　　　　　　◀ Track 07

1 Two friends are meeting after a long time.

쏨잉　소영아, 안녕?

소영　어, 쏨잉. 오래간만이야. 그동안 잘 지냈어?

쏨잉　응, 잘 지냈어. 너는?

소영　난 그저 그렇게 지냈어. 방학 내내 도서관에서 살았어. 아르바이트도 조금 하고.

쏨잉　그럼 많이 바빴겠네. 요즘도 아르바이트를 해?

소영　아니, 이제 그만뒀어. 넌 방학 동안 고향에 갔다 왔어?

쏨잉　아니, 한국에서 여기저기 여행을 했어.

소영　그랬구나. 그런데 나 배고파. 우리 밥 먹으러 가자. 오늘은 내가 살게.

2 Two friends run into each other after a long time.

준식　혹시 최진호 씨 아니세요?

진호　어, 준식이 형. 형, 정말 반가워요.

준식　그래, 반가워. 그런데 여긴 웬일이야?

진호　대학 선배를 만나러 왔어요. 형, 정말 오래간만이에요. 그동안 어떻게 지냈어요?

준식　잘 지냈어. 참, 나 부서를 무역부로 옮겼어. 진호 너도 별일 없지?

진호　네, 저는 학교 잘 다니고 있어요.

준식　그래? 그런데 어떡하지? 내가 지금 회의가 있어서 들어가 봐야 되는데.

진호　빨리 들어가세요. 제가 다음에 연락할게요. 전화번호는 안 바뀌었죠?

준식　응, 그대로야. 꼭 연락해.

New Words & Expressions 1

아르바이트 part-time job	여기저기 here and there	(밥을) 사다 to treat
웬일 what reason	선배 senior	무역부 trade department
별일 particular thing	회의 meeting	그대로 as it is

1 근황 Getting Along

잘 지내다 to be well 　　　　　　　　그저 그렇다 to be so-so

별일 없다 to have nothing in particular 　바쁘다 to be busy

한가하다 to have free time 　　　　　정신이 없다 to be preoccupied

◉— 연습 (Practice)

Complete each dialog by filling in the blank with an appropriate word or expression from the box. Change the form if necessary.

> 잘 지내다 　　별일 없다 　　한가하다 　　정신이 없다 　　그저 그렇다

1 가: 요즘 어떻게 지내세요?

　　나: 너무 바빠서 _____.

2 가: 무슨 일 있어요? 얼굴이 별로 안 좋아요.

　　나: 아니에요. _____.

3 가: 요즘도 바쁘세요?

　　나: 아니요, 바쁜 일이 끝나서 _____.

4 가: 요즘 생활이 어때요?

　　나: 별로 좋은 것도 없고 나쁜 것도 없고 _____.

2 신상 변화 Changes in One's Life

입학하다 to enter school 　　　　　졸업하다 to graduate

휴학하다 to withdraw temporarily from school

취직하다 to become employed 　　　직장을 그만두다 to quit a job

직장을 옮기다 to change jobs 　　　부서를 옮기다 to transfer to a new division

휴직 중이다 to stop working temporarily

⊙— 연습 (Practice)

Complete each dialog by filling in the blank with an appropriate word or expression from the box. Change the form if necessary.

입학하다	졸업하다	휴학하다	직장을 그만두다	직장을 옮기다

1 가: 얼마 전에 _____.

　 나: 그러면 요즘은 어느 회사에 다녀요?

2 가: 왜 _____?

　 나: 직장 생활이 저한테 맞지 않는 것 같아서요.

3 가: 수미 씨, 이제 4학년이지요? _____ 뭐 할 거예요?

　 나: 회사에 취직할 거예요.

4 가: 영진 씨, 요즘 학교에서 볼 수가 없네요.

　 나: 네, 이번 학기에 _____. 등록금을 벌어야 해서요.

3 유용한 표현 Useful Expressions

혹시 <u>진호</u> 씨 아니세요? Are you <u>Jin-ho</u> by any chance?

이게 얼마 만이에요? How long has it been?

그동안 별일 없었어요? Has everything been well (with you)?

연락도 없이 뭐 하고 지냈어요?

I haven't heard from you (in a while). How is everything?

어떻게 지내는지 궁금했어요. I was wondering how you were doing.

덕분에 잘 지내고 있어요. Thank you. I'm doing well.

<u>미영</u> 씨에게 안부 좀 전해 주세요. Please say hi to <u>Mi-yeong</u>.

Complete the dialog by choosing the appropriate sentence for each blank.

가: 1 _____

나: 실례지만 누구세요? 기억이 잘 안 나는데요.

가: 저 이현주예요. 한국대학교에 다니는.

나: 어, 현주 씨. 몰라봐서 미안해요. 2 _____

가: 정말 오래간만이에요. 그동안 잘 지냈어요?

나: 네, 잘 지냈어요.

가: 오랫동안 연락이 없어서 3 _____

나: 다른 친구들도 잘 지내고 있지요?

가: 네, 다들 잘 지내고 있어요. 소영이가 미영 씨 소식을 많이 궁금해해요.

나: 그래요? 그럼 4 _____

---

1 ① 혹시 미영 씨 아니세요?   ② 미영 씨, 오래 기다렸어요?

2 ① 그동안 보고 싶었어요.   ② 이게 얼마 만이에요?

3 ① 어떻게 지내는지 궁금했어요.   ② 덕분에 잘 지냈어요.

4 ① 저도 소영 씨 소식이 궁금해요.   ② 소영 씨에게 안부 전해 주세요.

>>> **문법** Grammar

반말 Informal Speech

In Korean, informal speech may be used if the speakers have a close relationship, if they are about the same age, or if the speaker is talking to someone younger than he/she is. This form can also be used with someone older, but only when he/she is very close to the speaker.

    Speech is generally made informal through the use of specific sentence endings. Additionally, words such as "응(yes)", "아니(no)" and "너(you)" are used when speaking informally. Lastly, when the speaker calls a Korean person's name, "아/야" is attached to the end, for example, "영민아" and "수미야."

가: 영민 씨, 어제 저한테 전화했어요?   가: 영민아, 어제 나한테 전화했어?

나: 네, 제가 어제 전화했어요.   }→   나: 응, 내가 어제 전화했어.

However, the honorific form must be used in official or formal situations, even with people one normally uses informal speech with.

1 Informal Declarative Speech

"–요" can be dropped from the polite informal declarative ending to make speech informal. However, for informal speech endings, the "–이에요/예요" that is attached to nouns is replaced with "–이야/야."

–아/어/여요	➡	–아/어/여	–았/었/였어요	➡	았/었/였어
–겠어요	➡	–겠어	–(으)ㄹ래요	➡	–(으)ㄹ래
–(으)ㄹ게요	➡	–(으)ㄹ게	–네요	➡	–네
–(으)ㄹ 거예요	➡	–(으)ㄹ 거야	–이에요/예요	➡	–이야/야

1 가: 형, 요즘도 바빠요?

　나: 아니, 요즘은 좀 한가해.

2 가: 졸업하면 뭐 할 거예요?

　나: 회사에 취직할 거야.

3 가: 어제는 모임에 왜 안 왔어요?

　나: 미안해. 다른 일이 있어서 못 갔어. 다음에는 꼭 갈게.

4 가: 길이 많이 막히네.

　나: 글쎄 말이야. 좀 늦겠네.

⊙— 연습 (Practice)

Answer the following questions using the informal declarative speech.

1 가: 요즘 어떻게 지내세요?

　나: _____.

2 가: 방학 동안 뭘 했어요?

　나: _____.

3 가: 이번 주말에 뭐 할 거예요?

　나: _____.

4 가: 마리 씨 생일 파티에 꼭 오세요.

　나: _____.

2 Informal Interrogative Speech

"–요" can be dropped from the polite informal interrogative ending to make speech informal. However, for informal speech endings, the "–이에요/예요" that is attached to nouns is replaced with "–이야/야."

–아/어/여요?	➡	–아/어/여?	–았/었/였어요?	➡	–았/었/였어?
–겠어요?	➡	–겠어?	–(으)ㄹ래요?	➡	–(으)ㄹ래?
–(으)ㄹ까요?	➡	–(으)ㄹ까?	–지요?	➡	–지?
–(으)ㄹ 거예요?	➡	–(으)ㄹ 거야?	–이에요/예요?	➡	–이야/야?

1 가: 요즘 어떻게 지내?
   나: 잘 지내.

2 가: 어제 모임 재미있었어?
   나: 응, 재미있었어.

3 가: 저 사람은 누구야?
   나: 우리 형이야.

4 가: 내일 어디서 만나는 것이 좋겠어?
   나: 지난번에 만났던 식당 어때?

◉― 연습 1 (Practice 1)

Practice the following conversations by changing them into informal speech.

1 가: 요즘도 많이 바빠요?
   나: 네, 요즘도 일이 많아요.

2 가: 오래간만이에요. 그동안 어떻게 지냈어요?
   나: 휴학을 하고 아르바이트를 하고 있어요.

3 가: 주말에 영화 보러 갈래요?
   나: 좀 피곤해요. 집에서 쉬고 싶어요.

4 가: 한국어 공부하는 게 힘들지요?
   나: 아니요, 재미있어요.

◉― 연습 2 (Practice 2)

Talk about the following topics with a partner using the informal interrogative speech.

1 지금 하는 일   2 어제 한 일

3 이번 주말에 할 일   4 좋아하는 것 (스포츠/음식/문화 활동 등)

3 Informal Imperative Speech

When "–아/어/여" is attached to a verb stem, it becomes the informal imperative speech form. In the negative imperative form, "–지 마" is attached to a verb stem.

1 가: 선배님, 어디에서 만날까요?
　 나: 미안하지만 네가 이쪽으로 와. 일이 좀 늦게 끝날 것 같아.

2 가: 연락 좀 자주 해.
　 나: 알았어. 자주 전화할게.

3 가: 영미를 만나면 안부 좀 전해 줘.
　 나: 그러지 말고 네가 직접 연락해 봐.

4 가: 수진이한테 지금 전화할까?
　 나: 지금은 너무 늦었으니까 하지 마.

◉— 연습 1(Practice 1)

Complete each dialog by using an imperative ending in "–아/어/여."

1 가: 다음에 연락할게.
　 나: 잊지 말고 _____.

2 가: 내일 영미하고 만나기로 했어.
　 나: 그래? 그럼 영미한테 _____.

3 가: 머리가 아파요.
　 나: 그럼, _____.

4 가: _____.
　 나: 미안해. 내일은 일이 많아서 안 돼.

◉— 연습 2(Practice 2)

Give three pieces of advice to the following friends.

1 한국어를 배우려고 하는 친구에게
2 취직 준비를 하는 친구에게
3 이성 친구를 사귀고 싶어하는 친구에게

4 Informal Propositive Speech

"–아/어/여" or "–자" can be attached to a verb stem to make the informal propositive speech form, but these days, "–자" is more frequently used. In the negative propositive form, "–지 말자" is attached to a verb stem.

1 가: 뭐 할까?

　나: 우리 영화 보러 가.

2 가: 이번 휴가 때 어디로 여행갈까?

　나: 제주도로 가자.

3 가: 점심에 김치찌개 먹자.

　나: 또 김치찌개? 오늘은 김치찌개 먹지 말자. 난 스파게티 먹고 싶어.

4 가: 아, 힘들어. 세 시간 동안 꼼짝도 안 하고 일만 했어.

　나: 나도 힘들어. 잠깐 쉬자.

⊙— 연습 1(Practice 1)

Complete each dialog by using "–아/어/여" or "–자."

1 가: 몇 시에 만날까?

　나: _____.

2 가: 이번 방학 때 설악산으로 여행갈까?

　나: 설악산은 작년에 갔으니까 _____.

3 가: 혼자 공부하니까 한국어 실력이 안 늘어.

　나: 나도 그래. 우리 _____.

4 가: _____.

　나: 미안해. 다음 주 토요일에는 다른 약속이 있어.

⊙— 연습 2(Practice 2)

Suppose you plan to do the following activities with your partner and present your ideas.

1 오늘 저녁 식사　　　　　　2 휴가 때 여행

3 이번 주말 활동　　　　　　4 발표 수업 준비

>>> **대화 연습** Conversation Drill

Two people are meeting after a long time. Practice the conversation with
a partner and then do it again using the information below.

> 이성호: 방학 동안 한국전자에서 인턴십을 함.
> 조금 힘들었음.
> 일을 많이 배워서 좋았음.
> 커피숍에 가서 더 얘기하고 싶음.

> 오양가: 방학 동안 여행과 한국어 공부를 함.
> 여행이 재미있었음.
> 한국어 실력이 늘어서 기분이 좋음.
> 성호와 함께 커피숍에 가고 싶음.

성 호 오양가, 오래간만이야. 그동안 잘 지냈어?

오양가 응, 잘 지냈어. 너도 잘 지냈지?

성 호 응, 나도 잘 지냈어. 방학 동안 뭐 했어?

오양가 여행도 하고, 한국어 공부도 열심히 했어.

성 호 한국어 실력은 많이 늘었어?

오양가 응, 그런 것 같아. 그래서 기분이 아주 좋아. 성호 넌 어떻게 보냈어?

성 호 난 한국전자에서 인턴십을 했어.

오양가 힘들었겠네.

이성호 응, 조금. 그렇지만 일을 많이 배워서 좋았어. 우리 커피숍에 가서 얘기할래?

오양가 그래, 좋아. 커피숍에 가자.

1
> 나라: 취직 시험 준비 때문에 매일 도서
> 관에 나감.
> 밤늦게까지 공부함.
> 많이 피곤하고 힘듦.
> 상우와 밥 먹으러 가고 싶음.

> 이상우: 중국에 어학연수를 다녀옴.
> 중국어 실력도 늘고 중국 친구
> 도 많이 사귐.
> 보람 있었음.
> 나라와 밥 먹으러 가고 싶음.

2

김지연:	3년 만에 인경이를 만남.
	그동안 대학을 졸업하고 취직함.
	지금 시간이 있음.
	커피숍에 가서 좀 더 얘기하고 싶음.

조인경:	3년 만에 지연이를 만남.
	결혼했음.
	지금 일을 하러 가는 중임.
	다음에 만나서 얘기하고 싶음.
	다음에 전화할 것임.

>>> **과제** Tasks

 듣기 Listening

Track 07

Two friends run into each other after a long time. Listen carefully and circle (True) or (False).

1) 두 사람은 오랫동안 못 만났다.   T   F

2) 유키는 요즘 취직 준비 때문에 바쁘다.   T   F

3) 제인은 대학을 졸업한 후 한국 회사에 취직하려고 한다.   T   F

 말하기 Speaking

Suppose you bump into your friend on the street in three years. Use the informal speech form to ask how he/she has been doing.

1. Think about what you will be doing in three years. Also, write down about what you would have done during that time.

2. Think about how you would start a conversation with your friend when you run into him/her on the street after having not seen him/her for three years.

3. You unexpectedly ran into a friend on the street. Talk about how he/she has been doing since you last met.

 읽기 Reading

1 Read the e-mail and answer the questions.

1. Read the e-mail. Who are the sender and recipient?

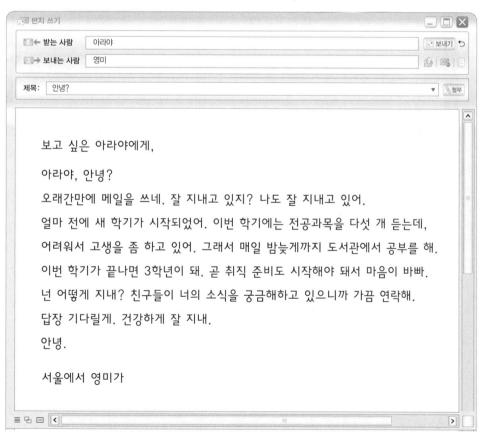

편지 쓰기

받는 사람   아라야   보내기
보내는 사람 영미

제목: 안녕?   첨부

보고 싶은 아라야에게,

아라야, 안녕?

오래간만에 메일을 쓰네. 잘 지내고 있지? 나도 잘 지내고 있어.

얼마 전에 새 학기가 시작되었어. 이번 학기에는 전공과목을 다섯 개 듣는데,

어려워서 고생을 좀 하고 있어. 그래서 매일 밤늦게까지 도서관에서 공부를 해.

이번 학기가 끝나면 3학년이 돼. 곧 취직 준비도 시작해야 돼서 마음이 바빠.

넌 어떻게 지내? 친구들이 너의 소식을 궁금해하고 있으니까 가끔 연락해.

답장 기다릴게. 건강하게 잘 지내.

안녕.

서울에서 영미가

2. Read the following questions. Scan the reading and answer the questions.

1) 영미와 아라야는 자주 연락을 합니까?

2) 영미는 요즘 무엇 때문에 힘듭니까?

3) 영미는 요즘 취직 준비를 하고 있습니까?

2 The following is part of Min-su Kim(김민수)'s journal. Read it carefully and circle **T**(True) or **F**(False).

오늘 대학 때 친하게 지낸 친구가 기쁜 소식을 전해 주었다. 드디어 취직이 되었다는 것이다. 우리는 대학 때 누구보다도 친했지만, 대학을 졸업한 후 1년 간 거의 연락을 하지 않고 지냈다.

그 친구는 누구보다도 성실하게 대학 생활을 했다. 스스로 학비를 벌어야 했기 때문에 늘 정신없이 보냈지만 한 번도 장학금을 놓친 적이 없었다. 그리고 힘든 중에도 늘 웃는 얼굴이어서 친구들에게도 인기가 높았다.

그런데 이상하게 취직이 잘 되지 않았다. 그래서 그 친구는 마음 고생을 많이 했다. 앞으로는 그 친구에게 좋은 일만 생기기를 바란다.

1) 두 사람은 자주 연락을 하고 지낸다.　　　　**T**　　**F**

2) 친구는 대학 때 계속 장학금을 탔다.　　　　**T**　　**F**

3) 친구는 대학을 졸업한 후 바로 좋은 직장에 취직을 했다.　　**T**　　**F**

 쓰기 Writing

Suppose you have received the e-mail in <Reading Part 1>. Write a reply.

1. Think about what the sender would like to know. Then talk with your partner about what information should be included in a reply.

2. Review the e-mail presented in <Reading Part 1> to find out how the e-mail begins and ends.

3. Write a reply using the information you have prepared.

4. Exchange your e-mail with your partner. Then, correct any mistakes in your partner's e-mail and suggest information that could be added. After that, try to improve your own reply based on your partner's suggestions.

곧 at once, immediately

꼼짝도 안 하다 to come to a standstill

덕분에 thanks to, courtesy of

몰라보다 to fail to recognize

밤늦게까지 until late at night

소식 news

실력이 늘다 (skill/ability) to be improved

어학연수 language study/training

오랫동안 for a long time, for ages

전공과목 major (subject)

지난번에 last time

학기 (school) semester, term

학비 school expenses

기억이 나다 to recollect, to remember

다들 everyone, all

등록금 tuition

발표 presentation, announcement

보람(이) 있다 to be worthwhile/fruitful

스파게티 spaghetti

안부를 전하다 to give one's regards to

얼굴이 안 좋다 to not look well

인턴십 internship

주말 활동 weekend activity

취직 시험 job examination

학년 school year, grade

>>> 문화 Culture

>>> Informal Speech in Korean

- Of the following people, with whom can you speak informally? What is the criterion for determining when to use the honorific and informal speech forms?

☐ 동생   ☐ 언니/오빠/형/누나   ☐ 부모님

☐ 친한 선배   ☐ 잘 모르는 후배   ☐ 선생님

☐ 처음 만난 사람   ☐ 직장 동료   ☐ 점원/종업원

☐ 친한 친구   ☐ 직장 상사   ☐ 외국인

- Read the following passage and find out when to use the informal speech in Korean.

The main criteria that are used to determine whether to use the honorific or informal speech are age, social status and friendship. Honorifics are generally used when speaking with someone who is older and/or of a higher social status; however, depending on the relationship, you can speak informally with someone who is older than you or use honorifics with someone who is younger than you. For this reason, you can often speak informally with siblings and older friends. Although it is against etiquette to speak informally with parents, there are many who do so, especially with their mothers. However, it is usually best to use honorifics with people you have just met or people with whom you are not close, no matter how much younger than you they are.

● The importance of age in determining how to speak politely in Korean explains why Koreans sometimes ask foreigners, "How old are you?" Lacking the unspoken cues they can use when guessing the ages of other Koreans, they are forced to be more direct.

● Do you have the criteria, such as age, social status and friendship, that are used to determine whether to use honorifics or informal speech in your country? Explain it to your class compared to Korean.

>>> ## 자기 평가 Self-Assessment

Do you have a full understanding of what you have studied in this chapter? Assess your Korean using the table below and review the chapter again if necessary.

Assessment Items	Scale		
I can use the informal speech and talk about how I have been doing recently.	Excellent	Good	Poor
I can ask about how people I haven't met for a long time have been doing and understand their answers.	Excellent	Good	Poor
I can read and write about the present.	Excellent	Good	Poor

08 Bank · Post office
은행 · 우체국

▶ **학습 목표 Learning Objectives**

Tasks 1. Listening to a conversation at a post office

2. Role-playing as a postal worker and customer

3. Reading instructions for an automated teller machine (ATM) and a passage about a various service at the post office

4. Writing directions for sending a package

Vocabulary & Expressions Bank-related words, bank services, post office-related words

Grammar −ㄴ 데에, −아/어/여서, −(으)ㄹ까요

Culture Korean currency

>>> **들어가기 Warm-up**

● 이 사람은 지금 무엇을 합니까? 어떤 이야기를 하고 있을까요?

● 은행이나 우체국을 이용하기 위해서 어떤 표현을 알아야 할까요?

1 A customer is talking to a teller about opening a bank account.

직원　어떻게 오셨습니까?

고객　통장하고 현금 카드를 만들려고 하는데요.

직원　저기 가서 신청서를 작성해 주세요. 그리고 신분증과 도장도 준비해 주시고요.

고객　통장을 만드는 데 꼭 도장이 있어야 합니까? 저는 도장이 없는데요.

직원　그러면 그냥 사인하셔도 됩니다.

　　　(잠시 후)

직원　여기에 사인해 주시겠어요? 그리고 통장과 현금 카드에 사용하실 비밀번호를 눌러 주세요.

고객　네.

직원　고객님, 다 됐습니다. 여기 통장과 현금 카드입니다.

2 A customer is talking to a postal worker about sending a package.

고객　일본에 소포를 보내려고 하는데요.

직원　안에 뭐가 들어 있습니까?

고객　책하고 옷이에요. 그런데 일본까지 제일 빠른 게 뭐예요?

직원　국제 특급입니다. 그걸로 해 드릴까요?

고객　국제 특급으로 보내면 도착하는 데에 며칠 정도 걸릴까요?

직원　한 3일 정도 걸릴 겁니다.

고객　그러면 국제 특급으로 해 주세요. 얼마예요?

직원　42,000원입니다. 여기에 받는 사람과 보내는 사람의 주소하고 연락처를 써 주십시오.

통장 bank book	현금 카드 debit card
통장을 만들다 to open a bank account	신청서 application form
도장 seal	사인하다 to sign
비밀번호 personal identification number (PIN)	누르다 to press
고객님 *(honorific)* customer	다 되다 to be completed/finished
국제 특급 international express mail	연락처 contact information

>>> 어휘 및 표현 Vocabulary & Expressions

1 은행 관련 어휘 Bank-Related Words

통장 bank book, passbook	계좌 번호 bank account number
비밀번호 personal identification number (PIN)	
현금 카드 debit/cash card	신용 카드 credit card
현금 cash	수표 check
이자 interest	수수료 fee, service charge
현금입출금기 automated teller machine (ATM)	

⊙— 연습 (Practice)

Fill in each blank with an appropriate word from the box.

통장 현금 비밀번호 신용 카드 현금입출금기

1 은행 창구에서 돈을 찾으려면 _____을/를 가지고 가면 된다.

2 은행이 문을 닫으면 _____에서 돈을 찾는다.

3 요즘은 물건을 살 때 현금보다는 _____을/를 더 많이 사용한다.

4 은행 거래를 할 때에는 _____을/를 다른 사람이 알지 못하게 해야 한다.

2 은행 업무 Bank Services

예금하다 to make a deposit	입금하다 to deposit
출금하다 to withdraw	송금하다 to send money
환전하다 to exchange money	대출하다 to loan money, to make a loan
예금 인출 withdrawal (of money)	계좌 이체 account transfer
잔액 조회 balance inquiry	통장 정리 bank book update
텔레뱅킹 telephone banking	인터넷뱅킹 Internet banking

⊙— 연습 (Practice)

Fill in each blank with an appropriate word from the box. Change the form if necessary.

송금하다	출금하다	환전하다	잔액 조회	계좌 이체

1 가: 은행에 가요?

　나: 네, 부모님께 _____ 은행에 가요.

2 가: 달러를 한국 돈으로 바꿔야 하는데 어디로 가면 좋을까요?

　나: 학교 앞 은행에 가서 _____ 것이 좋아요.

3 가: 계좌에 돈이 얼마나 남았는지 확인하고 싶은데 무슨 버튼을 눌러야 돼요?

　나: _____ 버튼을 누르세요.

4 가: 은행에 가서 돈을 찾으려고 하는데 뭐가 필요해요?

　나: _____ 때는 통장하고 도장만 가지고 가면 돼요.

3 우체국 관련 어휘 Post Office-Related Words

소포 package, parcel	우편 번호 postal code
보통 우편 ordinary mail	빠른우편 express mail
등기 우편 registered mail	국제 우편 international mail
국제 특급 international express mail	

Fill in each blank with an appropriate word from the box.

소포	등기	우편 번호	빠른우편	국제 우편

1 편지를 보낼 때는 주소와 _____을/를 써야 해요.

2 부모님한테서 _____이/가 왔어요. 안에는 책하고 먹을 것이 들어 있었어요.

3 _____로/으로 보내시면 보통 우편보다 3일 정도 빨리 도착합니다.

4 중요한 우편물은 _____을/를 이용하는 것이 좋아요.

4 유용한 표현 Useful Expressions

환율이 어떻게 됩니까? What is the exchange rate?

원화를 달러로 바꿔 주세요. Please exchange my won into dollars.

통장을 만드는 데에 도장이 필요합니까? Do I need a seal to open a bank account?

도장이 없으시면 사인을 하셔도 됩니다. If you don't have a seal, you may sign.

제일 빠르게 가는 우편이 뭐예요? What is the fastest option available?

지금 부치면 언제쯤 도착해요? When will the package arrive if I send it now?

빠른우편은 요금이 어떻게 됩니까? What is the cost for express mail?

●— 연습 (Practice)

Complete each dialog by choosing the appropriate sentence for the blank.

1 가: _____

나: 사흘 후면 도착합니다.

① 등기 우편으로 보내 주세요.

② 지금 부치면 언제쯤 도착해요?

2 가: _____

나: 빨리 보내려면 빠른우편으로 보내세요.

① 제일 빠르게 가는 우편이 뭐예요?

② 빠른우편은 요금이 어떻게 됩니까?

3 가: 어떻게 환전해 드릴까요?

　나: _____

　① 1달러에 1,150원입니다.

　② 원화를 달러로 바꿔 주세요.

4 가: _____

　나: 아니요, 사인을 하셔도 됩니다.

　① 통장과 도장을 드릴까요?

　② 통장을 만드는 데에 도장이 꼭 필요합니까?

>>> **문법** Grammar

1 -ㄴ 데에

When "-ㄴ 데에" is attached to a verb stem, it means *for/in doing something*. This form is used to express when an object, time or expense is needed to complete an action or to notify whether it is good or bad to complete an action. In these cases, "에" can be omitted.

1) In the present tense, "-는 데에" is attached to the verb stem.

2) In the past tense, "-(으)ㄴ 데에" is attached to the verb stem.

　a) If the stem ends in a vowel or "ㄹ," "-ㄴ 데에" is used.

　b) If the stem ends in a consonant other than "ㄹ," "-은 데에" is used.

1 가: 통장을 만드는 데에 뭐가 필요해요?

　나: 신분증이 꼭 있어야 합니다.

2 가: 이 소포를 미국까지 보내는 데 돈이 얼마나 들어요?

　나: 이만 원쯤 들 거예요.

3 가: 넘어져서 피가 났어요.

　나: 이 약은 다친 데 좋아요. 발라 보세요.

4 가: 이 책을 다 읽는 데 시간이 얼마나 걸려요?

　나: 아마 열 시간쯤 걸릴 거예요.

Complete each dialog by using the words in the parentheses as shown in the example.

> **Ex.**
> (불고기를 만들다)
> 가: 불고기를 만드는 데에 무엇이 필요합니까?
> 나: 불고기를 만드는 데에 소고기와 채소가 필요합니다.

1 (신용 카드를 만들다)

　가: _____?

　나: _____ 신분증과 통장 계좌 번호가 필요합니다.

2 (소포가 도착하다)

　가: _____?

　나: _____ 3일 정도 걸립니다.

3 (선물을 사다)

　가: _____?

　나: _____ 오만 원이 들었어요.

4 (감기 걸리다)

　가: _____?

　나: _____ 좋습니다.

◉─ 연습 2(Practice 2)

Talk with your partner about what you need in the following situations by using "–ㄴ 데에" as shown in the example.

> **Ex.**
> 가: 해외여행을 가는 데 무엇이 필요해요?
> 나: 해외여행을 가는 데 여권과 비자가 필요해요.

1 환전하다

2 유학을 가다

3 떡볶이를 만들다

4 회사에 지원하다

2 –아/어/여서

When "–아/어/여서" is attached to a verb stem, it means *after doing an action*. It is used to link two clauses which have the same subject and there is a close relationship between the actions in the clauses, such as:

    - when someone goes to a place and performs an action in that place,

    - when the object is the same for both clauses,

    - when there is a continuous action from the first clause while the action in the second
      clause is being carried out (i.e. 앉아서, 서서, 만나서, etc.).

a) If the stem ends in a vowel "ㅏ" (excluding '하') or "ㅗ," "–아서" is used.

b) If the stem ends in any vowel other than "ㅏ" or "ㅗ," "–어서" is used.

c) For "하다," "–여서" is used: however, it is often contracted to "해서."

1 가: 국제 우편을 보내려고 하는데요.

   나: 3번 창구로 가서 물어보세요.

2 가: 이 소포를 미국으로 보내려고 하는데요.

   나: 그러면 저 종이로 다시 한 번 포장해서 가지고 오세요.

3 가: 오늘 약속이 있어요?

   나: 네, 은석 씨하고 만나서 영화를 보기로 했어요.

4 가: 진호는 지금 뭐 해요?

   나: 침대에 누워서 음악을 듣고 있어요.

◉— 연습 1(Practice 1)

Complete each dialog by using "–아/어/여서."

1 가: 미우라 씨, 통장 만들었어요?

   나: 네, 어제 _____ 통장을 만들었어요.

2 가: 우편번호를 안 쓰셨네요.

   나: 네, 그러면 _____ 가지고 올게요.

3 가: 영미 씨 생일에 뭘 선물할 거예요?

   나: 저는 _____ 영미 씨한테 줄 거예요.

4 가: 어제 진욱 씨 만났어요?

   나: 네, _____ 같이 저녁을 먹었어요.

How can you send a letter or package? Using "–아/어/여서," explain three ways.

3 –(으)ㄹ까요

When "–(으)ㄹ까요" is attached to a verb, adjective or the "noun–이다" form, it expresses a guess or speculation. This form can only be used in interrogative sentences, and "–(으)ㄹ 거예요" is usually used when answering.

1) When there is speculation about the present or future,

    a) if the stem ends in a vowel or "ㄹ," "–ㄹ까요" is used.

    b) if the stem ends in a consonant other than "ㄹ," "–을까요" is used.

2) When there is speculation about a past incident or completed action, "–았/었/였을까요" is used.

  1 가: 일본에 소포를 보내는 데 얼마나 걸릴까요?

     나: 일주일 정도 걸릴 거예요.

  2 가: 미국에 특급 우편을 보내면 비쌀까요?

     나: 많이 비싸지는 않을 거예요.

  3 가: 영진 씨가 어디에 갔을까요?

     나: 아마 밥 먹으러 갔을 거예요.

  4 가: 그 소문이 정말일까요?

     나: 글쎄 말이에요. 저도 정말 궁금해요.

⊙— 연습 1(Practice 1)

Complete each dialog by using the words in the parentheses as shown in the example and then practice the dialogs with a partner. Use "–(으)ㄹ까요" to ask questions.

> **Ex.**
>
> (신용 카드를 만들 때 신분증이 필요하다)
>
> 가: 신용 카드를 만들 때 신분증이 필요할까요?
>
> 나: 아마 필요할 거예요. / 글쎄요, 잘 모르겠어요.

1 (마이클 씨가 한국 음식을 잘 먹다)

　가: _____?

　나: _____.

2 (미영 씨 동생도 키가 크다)

　가: _____?

　나: _____.

3 (영진 씨가 일을 다 끝냈다)

　가: _____?

　나: _____.

4 (오늘 제주도의 날씨가 좋다)

　가: _____?

　나: _____.

◉― 연습 2 (Practice 2)

Talk with your partner about three things that you can do at a post office or bank by using "–(으)ㄹ까요" as shown in the example.

> **Ex.**
> 가: 우체국에서 환전을 할 수 있을까요?
> 나: 글쎄요. 아마 할 수 없을 거예요.

>>> **대화 연습 Conversation Drill**

The following conversation is taking place at a post office. Practice the conversation with a partner and then do it again using the information below.

방문 목적	국제 우편을 보내기 위해
보내는 곳	독일 프랑크푸르트
보내는 물건	서류

손님	국제 우편을 보내려고 하는데요.
직원	안에 뭐가 들었습니까?
손님	서류입니다. 독일 프랑크푸르트로 보낼 건데, 제일 빠른 것으로 해 주세요.
직원	그러면 국제 특급으로 보내시면 됩니다.
손님	독일까지 가는 데 며칠 정도 걸릴까요?
직원	약 3~4일 정도 걸릴 겁니다. 여기에 서류를 올려놓으세요.

1

방문 목적	국제 우편을 보내기 위해
보내는 곳	캐나다 토론토
보내는 물건	편지와 스웨터

2

방문 목적	등기 우편을 보내기 위해
보내는 곳	부산
보내는 물건	책과 CD

>>> **과제** Tasks

 **듣기** Listening　　　　　　　　　　　　　　Track 08

Listen carefully to the following conversation taking place at a post office and circle **T**(True) or **F**(False).

1) 손님은 편지를 부치러 왔다.　　　　　　　　**T**　　**F**

2) 손님은 다른 나라로 우편물을 보내려고 한다.　**T**　　**F**

3) 우편물은 3일 후에 도착할 것이다.　　　　　**T**　　**F**

4) 우편물에 전화번호가 쓰여 있다.　　　　　　**T**　　**F**

말하기 Speaking

Role-play situations at a post office and a bank with a partner using the information below.

1

가) You are at a bank to open a bank account. You would also like to get a debit card. You haven't brought a seal, but you do have your identification card. Explain your situation to the bank teller.

나) You are a bank teller. Using the following expressions, help the customer.
  – 신청서를 써서 신분증과 도장을 함께 주십시오.
  – 사인하셔도 됩니다.

2

가) You are at a post office trying to send a package to Vietnam. You would like to send it the quickest way. Ask the postal worker what options are available, how long each takes, and what the rates are. Then send your package.

나) You are a postal worker. Using the following expressions, help the customer.
  – 국제 특급이 가장 빨리 갑니다.
  – 여기에 소포를 올려놓으십시오.
  – 우표를 붙여서 저기 있는 통에 넣어 주십시오.

 읽기 Reading

1 Find out how to use the automated teller machine (ATM).

1. The following is an ATM screen. When do you use each button?

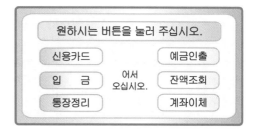

2. You would like to withdraw 30,000 won from an ATM. What should you do?
   Follow the sequence to complete your transaction.

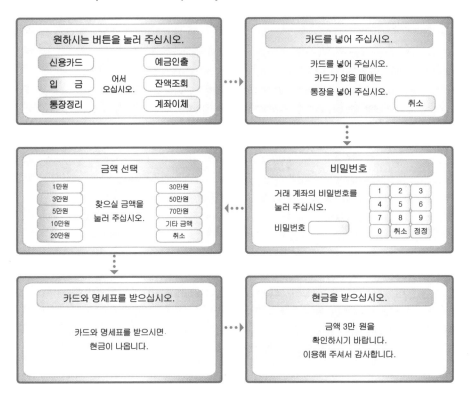

2 Read about changes of the post office and answer the questions.

우체국이 달라졌다. 이제는 소포를 부칠 때 우체국까지 직접 찾아갈 필요가 없다. 전화나 인터넷으로 신청만 하면 우체국 직원이 집으로 방문해서 우편물을 받아간다. 그리고 인터넷을 통해 지방에서 생산한 농수산물을 판매한다. 또한 인터넷에 우편물의 접수 번호를 입력하면 배달 상황도 바로 알 수 있다. 이 외에도 해외에 있는 친척이나 친구에게 바로 선물을 보내는 인터넷 서비스도 실시하고 있다.

1. What is the best title for this passage?

① 우체국의 다양한 서비스   ② 우체국 이용 방법

③ 국제 우편 주문 서비스   ④ 선물을 보내는 방법

2. Which of the following statements is true?

① 농수산물을 전화로 판매한다.

② 우체국에서 서비스로 선물을 준다.

③ 우체국 직원이 우편물을 직접 받아간다.

④ 전화를 통해 우편 배달 상황을 알려준다.

쓰기 Writing

In order to send a package, what do you need to do? Look at the pictures below and write instructions for sending a package.

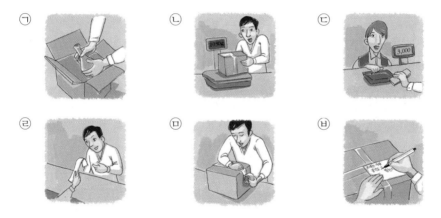

1. Describe each picture briefly.

ㄱ :

ㄴ :

ㄷ :

ㄹ :

ㅁ :

ㅂ :

2. Put the steps for sending a package in the right order.

_____ → _____ → _____ → _____ → _____ → _____

3. Write instructions for sending a package by using the information above.

 문화 Culture

>>> Korean Currency

- Do you know the denominations of the bills and coins used in Korea? Do you know what pictures are on the money?

- Read about the Korean currency.

The won (원) (sign: ₩, code: KRW) is the currency of Korea. The coins used in Korea come in four denominations: 10, 50, 100, and 500. Bills also come in four denominations: 1,000, 5,000, 10,000, and 50,000.

Famous Korean people, plants, animals and artifacts are on the money. On the 10 won coin is Dabotap (Pagoda of Many Treasures) while on the 50 won coin are rice plants, on the 100 won coin is Admiral Yi Sun-sin, and on the 500 won coin is a picture of a crane. On the 1,000 won note is the portrait of Yi Hwang, a scholar of Joseon Dynasty while on the 5,000 won note is Yi Yulgok, also a scholar of Joseon Dynasty, on the 10,000 won note is a portrait of King Sejong, who created the Korean alphabet, and on the 50,000 won note is a portrait of Sin Saimdang, who is often referred to as a model of Confucian ideals. People have been waiting a long time for the 100,000 bill.

● Who or what are on the money in your country? Compare the bills and coins of your country with those of Korea.

자기 평가 Self-Assessment

Do you have a full understanding of what you have studied in this chapter? Assess your Korean using the table below and review the chapter again if necessary.

Assessment Items	Scale		
I can talk about what I do at a bank and post office.	Excellent	Good	Poor
I can explain the process of sending a package.	Excellent	Good	Poor
I can deal with business at a bank and post office.	Excellent	Good	Poor

▶ 학습 목표 Learning Objectives

Tasks 1. Listening to a conversation at a real estate agency
2. Finding a house through a real estate agency
3. Reading an advertisement on houses for rent to look for an appropriate room/house and a passage about the process of renting a room/house
4. Making an advertisement to find a roommate

Vocabulary & Expressions Types of houses & layouts, residential environment, house chores, home appliances

Grammar Informal speech[2] (아/야, −니, −아/어/여라), −(으)ㄹ 테니까

Culture Korean housing rental system

>>> 들어가기 Warm-up

● 이 사람들은 지금 무엇을 하고 있는 것 같습니까?

● 여러분이 살고 있는 집은 어떤 집입니까? 집의 구조와 환경에 대해 이야기해 보세요.

1 **A real estate agent is showing a house for rent.**

중개인 이 집이에요. 남향이라서 햇빛도 잘 들고 창문이 커서 통풍도 잘돼요.

지 혜 집이 정말 환하네요.

리 사 그런데 부엌이 좀 좁은 것 같아요.

중개인 그 대신 방이 커서 살기 편할 거예요. 기본 가구도 있고요.

지 혜 욕실은 어느 쪽에 있어요?

중개인 저쪽에 있으니까 한번 보세요. 보증금도 없고, 월세 40만 원에 이런 집은
       못 구해요.

지 혜 버스 정류장도 가깝고 앞에 슈퍼가 있어서 마음에 드네요.
       리사, 네 생각은 어때?

리 사 나도 괜찮아. 그럼 우리 이 집으로 할까?

지 혜 그래, 그러자.

2 **Two roommates are having a conversation in the living room.**

리사 지혜야, 잠깐 이쪽으로 좀 와 봐.

지혜 왜? 무슨 일이야?

리사 청소기가 안 돼.

지혜 그래? 어제까지도 괜찮았는데 왜 그러지?

      (잠시 살펴본 후)

지혜 전원이 안 켜지네.

리사 고장 난 것 같아. 내일 서비스센터에 맡겨야겠다. 빨리 청소를 끝내고 너한테
     스파게티를 만들어 주려고 했는데……. 지혜야, 바쁘니? 바쁘지 않으면 네가
     청소를 해라.

지혜 알았어. 청소는 내가 할 테니까 넌 스파게티를 만들어.

리사 그래. 설거지부터 하고 만들어 줄게.

New Words & Expressions 1

남향 southward	햇빛이 잘 들다 to be well sunlit
통풍이 잘되다 to be well ventilated	환하다 to be bright
그 대신 instead (of)	기본 가구 basic furniture
욕실 bathroom	보증금 deposit
월세 monthly rent	청소기 vacuum cleaner
안 되다 to not be working	전원 power switch
고장(이) 나다 to break down, to be out of order	
서비스센터 customer service center	설거지(를) 하다 to do the dishes

>>> **어휘 및 표현** Vocabulary & Expressions

1 집의 종류와 구조 Types of Houses and Layouts

주택 house	아파트 apartment
한옥 Korean-style house	원룸 studio (apartment)
현관 front door	거실 living room
침실 bedroom	부엌 kitchen
화장실 toilet	욕실 bathroom
베란다 balcony	마당 yard

◉— 연습 (Practice)

Name the places in the picture.

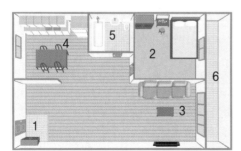

1 _____ 2 _____

3 _____ 4 _____

5 _____ 6 _____

2 주거 환경 Residential Environment

햇빛이 잘 들다 to be well sunlit   바람이 잘 통하다 to be well ventilated

공기가 좋다 to have fresh air   전망이 좋다 to have a great view

주변이 조용하다 to be a quiet area

편의시설이 잘되어 있다 (facilities) to be convenient

교통이 편리하다/불편하다 (transportation) to be convenient/inconvenient

살기 편하다/불편하다 to be comfortable/uncomfortable to live

◉— 연습 (Practice)

Fill in each blank with an appropriate expression from the box.

햇빛이 잘 들다	바람이 잘 통하다	교통이 편리하다
공기가 좋다	살기 불편하다	주변이 조용하다

1 따뜻하고 밝은 방을 구하고 있어요. 그래서 _____ 방이면 좋겠어요.

2 집 뒤에 산이 있어요. 그래서 다른 곳보다 _____.

3 집 앞에 지하철역과 버스 정류장이 있어서 _____.

4 이 집은 시장이 멀어서 _____.

3 집안일 House Chores

집안일을 하다 to do chores   방/물건을 정리하다 to clean up a room/things

청소를 하다 to clean up   청소기를 돌리다 to vacuum

걸레질을 하다 to wipe with a (damp) cloth

쓰레기를 버리다 to throw away garbage

빨래를 하다 to wash clothes   세탁기를 돌리다 to do laundry

다림질을 하다 to iron   장을 보다 to shop for groceries

식사 준비를 하다 to prepare a meal   설거지를 하다 to do the dishes

4 가전제품 Home Appliances

청소기 vacuum cleaner

다리미 iron

가스레인지 gas stove

전자레인지 microwave oven

정수기 water purifier

선풍기 fan

세탁기 washing machine

냉장고 refrigerator

전기밥솥 rice cooker

식기세척기 dish washer

가습기 humidifier

에어컨 air conditioner

◉— 연습 (Practice)

Describe the picture below by saying what kinds of appliances are in the house and what the people are doing. Use the words from the box.

세탁기	다리미	청소기	냉장고	선풍기
설거지를 하다	쓰레기를 버리다	다림질을 하다	세탁기를 돌리다	

5 유용한 표현 Useful Expressions

햇빛이 잘 드는 집이었으면 좋겠어요. I would like a well-lit room.

전셋집으로 찾아봐 주세요. Please find me a place with a lump-sum deposit.

보증금이 없었으면 좋겠는데요. I would like to find an apartment with no deposit.

월세가 어떻게 돼요? How much is the monthly rent?

가구가 딸려 있는 집이었으면 좋겠어요. I would like a furnished apartment.

부엌과 욕실이 따로 있었으면 좋겠어요.

I'd prefer to have a separate kitchen and bathroom.

지금 집을 보러 갈 수 있어요? May I go to see the place now?

⊙— 연습 (Practice)

Complete the dialog by choosing the appropriate sentence for each blank.

가: 어떤 집을 찾으세요?

나: 1 _____

가: 특별히 찾는 조건이 있어요?

나: 2 _____ 그리고 새 집이면 더 좋고요.

가: 마침 학교 근처에 좋은 집이 하나 있어요.

나: 3 _____

가: 보증금은 없고 한 달에 50만 원이에요.

나: 4 _____

가: 물론이지요. 지금 가 봅시다.

---

1 ① 방이 두 개 있는 집을 찾고 있어요.   ② 이사할 집을 찾고 있어요.

2 ① 학교 근처에 집이 있어요.   ② 학교에서 가까웠으면 좋겠어요.

3 ① 전세예요, 월세예요?   ② 보증금과 월세가 어떻게 돼요?

4 ① 언제 계약할 수 있어요?   ② 지금 보러 갈 수 있을까요?

>>> **문법** Grammar

1 아/야

When Koreans call out to a friend or someone younger and close, they add "아/야" at the end of the name. However, "아/야" is not added after foreigners' names.

a) If the name ends in a consonant, "아" is added.

b) If the name ends in a vowel, "야" is added.

1 가: 주영아, 나는 이 집이 마음에 드는데 너는 어때?

　나: 나도 마음에 들어, 수미야.

2 가: 민주야, 설거지 좀 도와줘.

　나: 알았어.

3 가: 선정아, 앞으로 집안일을 좀 나누어 하는 게 어떨까?

나: 그래, 그러자.

4 가: 정호야, 내 가방 못 봤어?

나: 아니, 못 봤는데.

◉— 연습 1(Practice 1)

Fill in the blanks with "아" or "야."

1 유정____, 설거지 좀 해 줘.

2 영호____, 문 좀 닫아 줘.

3 경희____, 지금 뭐 해?

4 종욱____, 부탁 좀 들어 줄래?

◉— 연습 2(Practice 2)

Using "아/야," call out to a Korean friend and ask a question or favor.

2 –니

"–니" is an informal interrogative ending which is attached to a verb, adjective and the "noun–이다" form. It can be used when speaking very informally with friends or someone younger. While "–아/어/여" can be used with someone close who is slightly older, "–니" definitely cannot be used with someone older. Young people more often use "–냐" instead of "–니" when speaking casually.

1) "–니" is attached to the stem of a verb, adjective or the "noun–이다" form.

2) It can also be attached to "–았/었/였–" or "–겠–" which shows tense.

1 가: 수미야, 언제 이사 가니?

나: 다음 달쯤 갈 거야.

2 가: 언제 세탁기를 돌릴 거니?

나: 지금 돌리려고 하는데요.

3 가: 쓰레기를 버리고 왔니?

나: 네, 버리고 왔어요.

4 가: 진수가 네 친구니?

나: 아니, 친구가 아니라 후배야.

연습 1 (Practice 1)

Complete the questions in the dialogs by using the informal interrogative ending "–니."

1 가: 새로 이사할 집은 _____?

나: 아니요, 아직 찾고 있어요.

2 가: _____?

나: 쓰레기를 버리고 왔어요.

3 가: _____?

나: 아니, 별로 재미없어.

4 가: _____?

나: 스무 살이야.

연습 2 (Practice 2)

Ask your partner questions about the following topics by using the informal interrogative ending "–니."

1 지금 사는 곳
2 오늘 한 집안일
3 앞으로 살고 싶은 집
4 자주 사용하는 가전제품

3 –아/어/여라

"–아/어/여라" is an imperative ending that is attached to a verb stem and is used to command something informally to a friend or someone younger. While "–아/어/여" can be used with someone close and older, "–아/어/여라" absolutely cannot be used with someone older.

a) If the stem ends in a vowel "ㅏ"(excluding '하다') or "ㅗ," "–아라" is used.

b) If the stem ends in any vowel other than "ㅏ" or "ㅗ," "–어라" is used.

c) For "하다," "–여라" is used: however, it is often contracted to "해라."

1 가: 수경아, 책상 서랍에 있는 가위 좀 가져와라.

나: 몇 번째 서랍에 있는데요?

2 가: 엄마, 냉장고가 안 돌아가요.

　나: 그래? 그러면 얼른 서비스센터에 전화해라.

3 가: 할머니, 제가 도와 드릴 일 없어요?

　나: 쓰레기 좀 버리고 와라.

4 가: 덥지 않니? 창문 좀 열까?

　나: 그래. 좀 열어라.

◉— 연습 1(Practice 1)

Complete each dialog by using the informal imperative ending "–아/어/여라."

1 가: 세탁기에서 이상한 소리가 나는데 어떻게 할까요?

　나: 서비스센터에 _____.

2 가: 저는 무슨 일을 할까요?

　나: 거실 바닥에 있는 물건 좀 _____.

3 가: 음악 소리가 너무 커요?

　나: 그래. 너무 시끄러우니까 좀 _____.

4 가: 좀 춥네요. 따뜻한 걸 먹고 싶어요.

　나: _____.

◉— 연습 2(Practice 2)

What should be done in order for the dirty place below to be clean? Tell your partner what to do using the informal imperative ending "–아/어/여라."

4 –(으)ㄹ 테니까

When "–(으)ㄹ 테니까" is attached to a verb stem, it indicates the reason or cause of the speaker's plan or intention.

a) If the stem ends in a vowel or "ㄹ," "–ㄹ 테니까" is used.

b) If the stem ends in a consonant other than "ㄹ," "–을 테니까" is used.

1 가: 와이셔츠를 다려야 하는데 다리미가 고장 났어요.
   나: 제 다리미를 빌려 줄 테니까 쓰고 나서 돌려주세요.

2 가: 오늘 저녁 10시쯤 전화할 테니까 꼭 받으세요.
   나: 저는 그 시간에 자는데요.

3 가: 지금부터 비자 신청 방법에 대해 설명할 테니까 잘 들으세요.
   나: 네, 알겠습니다.

4 가: 이번 주말 행사에서 우리가 뭘 하면 되지?
   나: 나는 사진을 찍을 테니까 너는 사회를 봐.

◉─ 연습 1(Practice 1)

Complete each dialog by using "–(으)ㄹ 테니까."

1 가: 방도 정리해야 하고 화장실 청소도 해야 하는데 어떻게 하지?
   나: _____ 너는 화장실 청소를 해라.

2 가: 배가 고픈데 먹을 게 하나도 없어요.
   나: _____ 잠깐만 기다리세요.

3 가: 30분쯤 후에 일이 끝날 거야. 미안하지만 조금만 기다려 줘.
   나: _____ 걱정하지 마.

4 가: 이 책도 읽고 싶고, 저 책도 읽고 싶은데 한 권밖에 못 사겠네.
   나: _____ 너는 저걸 사라. 나중에 바꿔 보자.

Make a suggestion or give advice to the following friends by using "–(으)ㄹ 테니까."

1 이사 갈 집을 구해야 하는 친구에게

2 이사 준비를 혼자서 해야 하는 친구에게

3 갑자기 집에 손님이 오게 된 상황에서 같이 사는 친구에게

4 한국어 공부를 어려워하는 친구에게

>>> **대화 연습** Conversation Drill

A person is inquiring about a room for rent at a real estate agency. Practice the conversation with a partner and then do it again using the information below.

> **손님이 원하는 집의 조건**: 가구가 있는 원룸, 햇빛이 잘 드는 곳
> **부동산에 나와 있는 집의 조건**: 월세, 집 앞에 슈퍼가 있음

중개인 어떤 집을 구하세요?

손 님 가구가 있는 원룸을 구하고 싶은데요.

중개인 이 근처의 원룸은 모두 월세인데 괜찮으시겠어요?

손 님 네, 월세도 괜찮아요. 그런데 햇빛이 잘 드는 방이었으면 좋겠어요.

중개인 마침 햇빛이 잘 드는 방이 하나 있어요. 그리고 집 앞에 바로 슈퍼가
　　　　 있어서 살기에도 편할 거예요.

손 님 지금 보러 갈 수 있을까요?

중개인 집주인한테 전화해 볼 테니까 잠깐만 기다리세요.

1
> **손님이 원하는 집의 조건**: 방이 두 개인 곳, 교통이 편리하고 깨끗한 곳
> **부동산에 나와 있는 집의 조건**: 전세, 지하철역 근처, 근처에 슈퍼가 있음

2
> **손님이 원하는 집의 조건**: 보증금이 적은 원룸, 공기가 좋고 전망이 좋은 곳
> **부동산에 나와 있는 집의 조건**: 월세, 집 근처에 공원이 있음

>>> **과제** Tasks

 듣기 Listening

🔊 Track 09

Listen to a conversation taking place at a real estate agency and choose the customer's conditions. More than one answer is possible.

① 아파트   ② 원룸

③ 전세   ④ 월세

⑤ 욕실이 딸린 집   ⑥ 가구가 딸린 집

⑦ 깨끗한 집   ⑧ 조용한 집

🎤 **말하기** Speaking

Suppose you are looking for a studio apartment at a real estate agency. What kind of options do you want? Role-play as a real estate agent and a client.

1. Write in the table the conditions for the place you want to move in. And think about how you would explain them to the real estate agent.

	집의 구조	
조건	주거 환경	
	가격	

2. The following shows the conditions of different housing options that are offered by a real estate agency. Think about how you would introduce them to the client.

새로 지은 원룸	지은 지 10년 된 원룸	방 두 개짜리 주택

– 가구가 딸려 있음
– 버스 정류장 근처
– 집 앞에 슈퍼
– 보증금 500만 원,
  월세 50만 원
	– 공원 근처
	– 방이 밝고 통풍이 잘됨
	– 집 주인이 친절함
	– 보증금 200만 원,
	  월세 40만 원
		– 지하철역 근처
		– 집 앞에 슈퍼, 극장
		– 방이 크고 환함
		– 전세 3000만 원

3. Role-play: A real estate agent introduces different places and a client chooses the best place.

 읽기 Reading

1 The following properties are listed at a real estate agency. Read them carefully and answer the questions.

A 원룸	B 원룸	C 원룸
보증금 1,000만 원 월세 50만 원 지하철역에서 걸어서 3분 버스 정류장에서 1분 근처에 대형 슈퍼 있음	보증금 500만 원 월세 60만 원 넓은 방 지은 지 얼마 안 된 새 건물 지하철역에서 걸어서 15분 근처에 공원이 있어 공기가 맑고 조용함	보증금 700만 원 월세 40만 원 세탁기, 텔레비전, 침대 완비 지하철역에서 걸어서 10분 남향이라 햇빛이 잘 들고 바람도 잘 통함

1. Discuss the characteristics of each studio apartment with your partner.

2. Which studio apartment best matches each person? Read about their situations and decide.

회사원 A 씨: 저는 회사가 시내에 있기 때문에 지하철역에서 가까운 원룸을 구하고 싶습니다. 그런데 돈이 팔백만 원밖에 없습니다. 그래서 집은 좋지 않아도 됩니다. 그리고 가구가 없어서 가구가 딸려 있는 집이면 좋겠습니다.

대학원생 B 씨: 저는 공부를 해야 하기 때문에 조용한 집이었으면 좋겠습니다. 그리고 책상에 앉아 있는 시간이 많은데 가끔은 운동도 해야 하니까 집 근처에 산책을 할 수 있는 곳이 있으면 월세는 조금 비싸도 됩니다.

2 The following steps must be taken when looking for housing. Put them in
the right order by filling in the parentheses.

ㄹ – (   ) – (   ) – (   ) – ㄷ

ㄱ 집이 마음에 들면 그 집의 주인과 계약한다.

ㄴ 부동산 중개소에 직접 찾아가서 원하는 집에 대해서 이야기한 후 집을 소개 받
는다.

ㄷ 그 후에는 집주인과 부동산 중개인의 연락처를 메모해 놓는 것이 좋다. 이사 준
비를 하면서 궁금한 것이 있으면 연락해야 하기 때문이다.

ㄹ 먼저 인터넷을 통해 이사 가고 싶은 곳의 전세금, 보증금과 월세 등에 대해 미리
알아보는 것이 좋다. 그러면 부동산 중개소에 가서도 원하는 집을 좋은 가격에
구할 수 있다.

ㅁ 집을 보러 가서 그 집이 내가 원하는 조건에 맞는지, 살기에 편한지, 망가지거나
고장 난 곳은 없는지 확인해야 한다.

쓰기 Writing

Suppose you are living alone in a spacious apartment and are looking for a
roommate. Write an advertisement looking for a roommate.

1. Write about your apartment.

방의 구조 및 크기	넓은 방
주거 환경	
가격	
다른 특징	

2. Write an advertisement looking for a roommate using the information above.

룸메이트 구함

New Words & Expressions 2

가구가 딸려 있다 to be furnished	가위 scissors
계약하다 to sign a contract	구조 structure
냉장고가 돌아가다 refrigerator works	다리다 to iron
대형 슈퍼 supermarket	마침 just in time
망가지다 to go for a burton	물론이지요 of course
바닥 floor	방이 나다 (room) to become available
부동산 중개소 real estate agency	사회를 보다 to preside over an event
새 new	서랍 drawer
소리가 나다 to make sound	신청 registration
얼른 quickly	와이셔츠 dress shirts
완비 complete provision	원하다 to want
–을/를 통해 through	이사(를) 가다 to move
이상하다 to be odd	전세 lease of a house/room on a deposit basis
전세금 lump-sum deposit	전셋집 a house rented with a lump-sum deposit
조건 conditions	주거 환경 residential area
직접 directly	집을 구하다 to search for housing
집주인 landlord	행사 event
혼자서 alone	후배 junior

>>> Korean Housing Rental System

- Do you know about the Korean housing rental system? Talk about what you know.

- Read about the Korean housing rental system.

> Most Koreans want to purchase a house. However, when a house cannot be purchased, they either rent using a lump-sum deposit or monthly payments.
>
> Renting with a lump-sum deposit is a system in which you give a lump-sum payment to the landlord for a specific period of time and receive the money back at the end of the contract. On the other hand, renting with monthly payments is a system in which you rent a room or a house and pay each month. Although monthly payments do not require any lump-sum payment, they are less popular because you do not get the payments back. These days, even when you rent a place with monthly payments, you still have to pay a deposit. In this case, you can get the deposit back when you move out.

- Compare the Korean housing rental system to that of your country. And explain housing in your country.

Do you have a full understanding of what you have studied in this chapter? Assess your Korean using the table below and review the chapter again if necessary.

Assessment Items	Scale		
I can talk about layouts and characteristics of a house.	Excellent	Good	Poor
I can read and understand a housing advertisement.	Excellent	Good	Poor
I can talk about different chores around the house.	Excellent	Good	Poor

10 | Telephone
전화

학습 목표 Learning Objectives

Tasks 1. Listening to voice mail
2. Leaving voice mail on someone else's phone
3. Reading telephone memos and a passage about using mobile phones
4. Writing about telephone conversations

Vocabulary & Expressions Telephone, phone conversations, business matters
Grammar –다고 하다, –(으)라고 하다, –게 되다
Culture Useful telephone numbers

>>> ## 들어가기 Warm-up

- 지금 어떤 상황인 것 같습니까? 전화를 건 사람은 누구일까요? 왜 그렇게 생각합니까?
- 아는 사람에게 전화를 했는데, 지금 그 사람이 자리에 없으면 여러분은 어떻게 합니까?

>>> **대화** Dialogs   Track 10

1 **An office worker is talking on the phone with a colleague from another department.**

직 원   네, 총무부의 김미영입니다.

이영준   여보세요? 김준하 과장님 계십니까?

직 원   김 과장님께서는 지금 외근 나가셨는데, 실례지만 누구십니까?

이영준   네, 저는 영업부의 이영준입니다. 과장님이 몇 시쯤 돌아오실까요?

직 원   오후 다섯 시쯤 들어오신다고 하셨습니다.

이영준   그 시간에 제가 전화를 하기가 어려울 것 같은데, 죄송하지만 말씀 좀 전해
　　　　 주시겠습니까?

직 원   네, 말씀하세요.

이영준   내일 회의가 두 시에서 세 시로 바뀌었다고 전해 주세요.
　　　　 만약 그 시간이 안 되시면 6시쯤 저에게 전화해 달라고 전해 주세요.

직 원   영업부의 이영준 씨라고 하셨지요?

이영준   네, 맞습니다. 그럼 부탁 드리겠습니다. 수고하세요.

2 **An office worker is leaving a voice mail on his supervisor's phone.**

최은석   대리님, 연락이 안 돼서 메시지를 남기게 되었습니다. 아까 한국전자의 김민수
　　　　 씨라는 분이 찾아와서, 상품 설명서를 대리님께 전해 달라고 했습니다. 그래서
　　　　 대리님 자리에 올려놓았습니다. 설명서를 보시고 전화해 달라고 합니다. 제가
　　　　 직접 전해 드리면 좋은데 갑자기 급한 일이 생겨서 지금 나가게 되었습니다.
　　　　 자세한 이야기는 이따가 들어와서 말씀 드리겠습니다.

New Words & Expressions 1

총무부 general affairs division	과장 section chief
계시다 (*honorific*) to be (in)	외근 나가다 to be on outside duty
영업부 sales division	말씀 (*polite*) word, message
전해 주다 to pass on, to relay	바뀌다 to be changed
연락이 안 되다 cannot get in touch	메시지를 남기다 to leave a message
찾아오다 to come visit	상품 설명서 instruction manual
대리 deputy manager	자세하다 to be detailed

1 전화 Telephone

전화기 telephone	공중전화 public phone
휴대 전화 mobile phone	시내 전화 local call
시외 전화 long-distance call	국제 전화 international call
전화번호 telephone number	지역 번호 area code
국가 번호 country code	내선 번호 extension number
전화번호부 telephone directory	수신자 부담 전화 collect call

◉— 연습 (Practice)

Match each word on the left with its definition on the right.

1 공중전화 ●	●	① 외국에 거는 전화
2 휴대 전화 ●	●	② 같은 도시 안에서 거는 전화
3 시내 전화 ●	●	③ 카드나 동전을 넣고 거는 전화
4 국제 전화 ●	●	④ 다른 도시로 거는 전화
5 시외 전화 ●	●	⑤ 가지고 다니면서 쓰는 전화

2 통화 Telephone Call

전화를 걸다 to call	신호가 가다 to signal
전화벨이 울리다 to ring	전화가 오다 to get a phone call
전화를 받다 to receive a phone call	통화하다 to speak on the phone
전화를 바꿔주다 to put someone on	전화를 끊다 to hang up the phone
통화 중이다 to be on the phone	전화를 잘못 걸다 to dial the wrong number

자리에 없다 to not be here

(음성) 메시지를 남기다 to leave a voice mail message

문자 (메시지)를 보내다 to send a text message

◉― 연습 (Practice)

Fill in each blank with an appropriate expression from the box. Change the form if necessary.

| 통화 중이다 | 신호가 가다 | 메시지를 남기다 | 전화를 끊다 | 전화를 걸다 |

1 지금은 전화를 받을 수 없습니다. "삐" 소리가 나면 _____.

2 수미 씨가 전화를 오래 하네요. 아까부터 계속 _____.

3 집에 아무도 없는 것 같아요. _____ 전화를 안 받아요.

4 이상한 전화가 자꾸 와요. 제가 전화를 받으면 아무 말도 하지 않고 _____.

3 용무 Business Matter

출장을 가다 to go on a business trip   출장 중 being on a business trip

외출을 하다 to be/go out   외출 중 being out

외근을 나가다 to be on outside duty   외근 중 working outside the office

상담을 하다 to consult   상담 중 consulting

거래처 business connection   담당자 person in charge

◉― 연습 (Practice)

Complete each dialog by choosing the appropriate expression from the box.

| 출장 중 | 외근 중 | 상담 중 | 거래처 | 담당자 |

1 가: 주문하신 것을 언제까지 보내 드려야 합니까?

   나: 지금 _____이/가 자리에 없으니까 이따가 다시 전화해 주시겠습니까?

2 가: 김 사장님 좀 부탁합니다.

   나: 사장님은 외국에 _____이십니다. 누구시라고 전할까요?

3 가: 최 과장님 좀 바꿔 주시겠습니까?

   나: 지금 손님과 _____이신데, 30분 후에 다시 전화해 주시겠습니까?

4 가: 이 부장님이 자리에 계십니까?

   나: _____에 잠시 가셨는데요. 무슨 일이십니까?

4 유용한 표현 Useful Expressions

김민수 씨는 지금 출장 중입니다. Mr. Kim Min-su is on a business trip now.

전하실 말씀이 있으십니까? Would you like to leave a message?

말씀 좀 전해 주시겠습니까? Would you relay my message?

메모 좀 부탁 드려도 될까요? Would you take down my message?

나중에 다시 전화 드리겠습니다. I'll call back later.

김민수한테서 전화 왔다고 전해 주세요. Tell him/her that Min-su Kim called.

김민수에게 전화해 달라고 전해 주십시오. Tell him/her to call Min-su Kim back.

⊙— 연습 (Practice)

Complete each dialog by choosing the appropriate sentence for the blank.

1 가: 김영수 씨는 지금 자리에 없는데요.

   나: 그럼 _____

   ① 전하실 말씀이 있으십니까?

   ② 메모 좀 부탁 드려도 될까요?

2 가: 히시게 씨에게 _____

   나: 네, 말씀하세요.

   ① 말씀 좀 전해 주시겠습니까?

   ② 전하실 말씀이 있으십니까?

3 가: _____

   나: 미우라 씨요? 네, 알겠습니다.

   ① 미우라입니다. 메시지를 남겨 주세요.

   ② 미우라한테서 전화 왔다고 전해 주세요.

4 가: 여보세요? 김 과장님 계십니까?

   나: 지금 안 계신데요. 실례지만 _____

   ① 누구십니까?

   ② 몇 시쯤 돌아오실까요?

>>> 문법 Grammar

1 –다고 하다

"–다고 하다" is used to quote a declarative statement.

■ **The Present Tense**

1) For verbs,

    a) if the stem ends in a vowel or "ㄹ," "–ㄴ다고 하다" is used,

    b) if the stem ends in a consonant other than "ㄹ," "–는다고 하다" is used.

2) For adjectives, "–다고 하다" is used at the end of the stem.

3) For the "noun–이다" form,

    a) if the noun ends in a vowel, "–라고 하다" is used,

    b) if the noun ends in a consonant, "–이라고 하다" is used.

■ **The Past · Past Perfect Tense**

"–았/었/였다고 하다" is attached to a verb, adjective or the "noun–이다" form.

■ **The Future Tense · Conjecture**

1) "–겠다고 하다" or "–(으)ㄹ 것이라고 하다" is attached to a verb, adjective or the "noun–이다" form.

2) In case of conjecturing about a completed action, "–았/었/였겠다고 하다" or "–았/었/였을 것이라고 하다" is used.

Part of Speech \ Tense	Present	Past · Past Perfect	Future · Conjecture
Verb	–ㄴ다고 하다 –는다고 하다	–았다고 하다 –었다고 하다 –였다고 하다	–겠다고 하다 –(으)ㄹ 것이라고 하다
Adjective	–다고 하다		
"Noun–이다" form	–라고 하다 –이라고 하다		

  1 가: 수미 씨는 요즘 뭐 해요?

      나: 요즘 회사일 때문에 매일 야근한다고 해요.

  2 가: 그 거래처는 언제부터 휴가예요?

      나: 다음 주 월요일부터 휴가라고 해요.

3 가: 과장님은 언제 출장을 가셨다고 해요?

   나: 지난 월요일에 가셨다고 해요.

4 가: 부장님이 언제 돌아오실까요?

   나: 다음 주에 돌아오실 거라고 했어요.

⊙— 연습 1(Practice 1)

Complete each dialog by filling in the blank with the words in the parentheses. Change the form if necessary.

1 가: 수진 씨하고 통화했어요?

   나: 아니요, 수진 씨한테 전화했는데, 수진 씨 어머님이 _____.

   (아직 집에 안 돌아왔다)

2 가: 영수 씨가 왜 아직까지 안 올까요?

   나: 조금 전에 문자 메시지가 왔는데 _____.

   (30분쯤 늦을 것이다)

3 가: 병원에 다녀왔어요? 의사가 뭐라고 해요?

   나: _____.

   (빨리 수술을 해야 한다)

4 가: 제이슨이 요즘 어떻게 지내는지 알아요?

   나: 며칠 전에 통화했는데 _____.

   (정신없이 바쁘다)

⊙— 연습 2(Practice 2)

Have you recently heard any news from people around you? Talk with your partner about three things you have heard by using "–다고 하다."

2 –(으)라고 하다

"–(으)라고 하다" is used to quote an imperative sentence.

a) If the verb stem ends in a vowel or "ㄹ," "–라고 하다" is used.

b) If the verb stem ends in a consonant other than "ㄹ," "–으라고 하다" is used.

※ For "주다," "달라고 하다" is used if the recipient of the predicative is the speaker who spoke the imperative sentence, otherwise, "주라고 하다" is used.

1 가: 민호가 뭐라고 했어요?

   나: 내일 지하철역 앞에서 기다리라고 했어요.

2 가: 김 과장님이 뭐라고 하셨어요?

   나: 중요한 전화가 올 테니까 잘 받으라고 하셨어요.

3 가: 이게 웬 꽃이에요?

   나: 아까 어떤 남자가 이 꽃을 소영 씨에게 주라고 했어요.

4 가: 한국어 초급 책을 왜 가지고 왔어요?

   나: 후배가 빌려 달라고 해서 가지고 왔어요.

⊙— 연습 1(Practice 1)

Complete each dialog by using "–(으)라고 하다."

1 가: 부모님이 너에게 제일 자주 하시는 말씀이 뭐야?

   나: _____.

2 가: 내일 모임에 대해서 연락 받았어?

   나: 응. _____.

3 가: 이걸 누구에게 물어볼 거예요?

   나: _____.

4 가: 이 대리가 많이 아픈 것 같아요.

   나: 그래요? 그러면 오늘은 _____.

⊙— 연습 2(Practice 2)

What would you tell people to do in the following situations? Tell your partner using "–(으)라고 하다."

1 아주 추운 날 외출하는 친구에게   2 여행을 가는 친구에게

3 감기에 걸린 친구에게   4 시험을 보러 가는 친구에게

3 -게 되다

When "-게 되다" is attached to a verb stem, it signifies the change of a situation or state.

1 가: 어떻게 휴대 전화를 찾았어요?

　나: 택시 기사 덕분에 찾게 되었어요.

2 가: 왜 담당자가 직접 전화하지 않았습니까?

　나: 네, 담당자가 출장을 가서 제가 대신 전화를 하게 됐습니다.

3 가: 오후 네 시까지는 회의가 있어서 전화를 못 받게 될 거예요.

　나: 그럼 그 이후에 전화하겠습니다.

4 가: 국제 전화를 무료로 쓸 수 있게 되었다고 들었어요.

　나: 네, 인터넷 전화를 사용하면 국제 전화를 무료로 쓸 수 있다고 해요.

◉— 연습 1 (Practice 1)

Complete each dialog by using "-게 되다."

1 가: 어, 여행 안 갔어요?

　나: 네, _____.

2 가: 이제 한국말을 잘하시겠네요.

　나: 네, 열심히 노력해서 이제는 _____.

3 가: 한국 드라마를 한국말로 들을 수 있으면 좋겠어요.

　나: 지금처럼 열심히 공부하면 _____.

4 가: 회사를 옮긴다고 들었는데 사실이에요?

　나: 네, _____.

◉— 연습 2 (Practice 2)

Talk with your partner about how your lifestyle has changed using "-게 되다" and explain the reasons why.

1 전에는 못 먹었지만 지금은 먹을 수 있는 음식
2 전에는 못 했지만 지금은 할 수 있는 일
3 전에는 할 수 있었지만 지금은 못 하는 일
4 최근에 갑자기 바뀌거나 변한 일

>>> **대화 연습** Conversation Drill

Two people are talking on the phone. Practice the conversation with a partner and then do it again using the information below.

전화를 건 사람: '고려자동차'의 김은석

찾는 사람: 바오 (거래처에 갔음)

전할 내용: 전화해 주세요.

은석: 여보세요? 바오 씨 좀 부탁드립니다.

직원: 죄송합니다만 지금 안 계시는데요. 실례지만 누구십니까?

은석: 고려자동차의 김은석이라고 합니다. 언제쯤 돌아오실까요?

직원: 글쎄요, 지금 거래처에 가셨는데 두 시간 후쯤 들어오실 거예요.

은석: 그럼 바오 씨에게 말씀 좀 전해 주시겠습니까?

직원: 네, 말씀하세요.

은석: 저에게 전화해 달라고 전해 주세요.

직원: 네, 알겠습니다. 그렇게 전해 드리겠습니다.

1

전화를 건 사람: '한진무역'의 김희수 과장

찾는 사람: 아사코 (회의 중)

전할 내용: 오후 세 시에 사무실로 찾아뵙겠다.

2

전화를 건 사람: 리펑

찾는 사람: 김선주 교수님 (강의 중)

전할 내용: 점심시간에 연구실로 전화 드리겠다.

듣기 Listening

Track **10**

The following is a voice mail message. Listen carefully and circle **T**(True) or
F (False).

1) 소영이는 약속을 잊어버렸다.　　　　　**T**　**F**

2) 흐엉은 다시 연락하겠다고 했다.　　　　**T**　**F**

3) 준호는 회의 일정 때문에 약속을 바꾸고 싶어한다.　**T**　**F**

말하기 Speaking

Suppose you call someone in regards to work but he/she is not available.
Leave a message for him/her.

1. The following are the reasons you call. Think about how you would leave
   your message to the person who answers the phone.

   > 용무: 부탁한 자료가 아직 오지 않았다.
   >
   > 회의 일정을 바꾸고 싶다.

2. Leave your message on the phone.

3. Relay the message to the person in charge.

4. Switch roles. Practice answering the phone, taking and leaving a message,
   and relaying the message.

   > 용무: 사장님께서 회의에 참석하지 못하게 되었다.
   >
   > 전화로 회의 날짜를 다시 정했으면 좋겠다.

읽기 Reading

1 The following is a telephone message. Read it carefully and circle 🌐(True) or 🌕(False).

> **언제:** 4월 16일 목요일 오후 4시 반
>
> **누가:** 삼진무역 김영태 씨
>
> **누구에게:** 조프리
>
> **용건:** 약속 장소가 인사동 '시골집'으로 바뀜.
> 시간은 변경 없음.
>
> **전화 받은 사람:** 이현성

1) 김영태가 약속 장소를 바꾸고 싶어서 전화를 했다.   🌐 🌕

2) 김영태와 조프리는 4월 16일 목요일 4시 반에 인사동에서 만날 것이다.   🌐 🌕

3) 메모를 한 사람은 조프리이다.   🌐 🌕

2 The following passage is about using mobile phones. Read it carefully and circle 🌐(True) or 🌕(False).

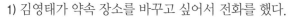

> 요즘 휴대 전화를 사용하는 사람들을 어디서나 쉽게 볼 수 있다.
>
> 휴대 전화의 장점은 빠르고 쉽게 다른 사람들에게 연락을 할 수 있다는 것이다. 휴대 전화가 많이 사용되기 전에는 처음 전화를 받을 때 "여보세요?"라고 했지만 요즘은 "지금 어디예요?"라는 말을 더 많이 사용한다고 한다.
>
> 또한 요즘은 문자 메시지를 이용하는 사람들이 많이 늘었다. 문자 메시지는 편지나 이메일보다 훨씬 간편하고 빨리 연락을 주고받을 수 있어서 편리하다.
>
> 문자 메시지를 주고받을 때는 메시지의 글자 수를 적게 하려고 문법에 맞지 않는 표현을 쓰기도 한다. 문법에 맞지 않는 문장을 쓰는 것은 좋지 않지만, ^^(미소), ㅠ.ㅠ(슬픔) 등과 같은 기호로 감정을 표현하는 것은 좋은 것 같다.

1) 휴대 전화는 쉽고 빠르게 연락할 수 있어서 좋다.   🌐 🌕

2) 요즘은 전화할 때 "여보세요?"라고 말하는 사람이 적어졌다.   🌐 🌕

3) 문자 메시지를 보낼 때 문법에 맞지 않는 표현을 쓰기도 한다.   🌐 🌕

4) 휴대 전화를 사용할 때 기호를 많이 만드는 것이 좋다.   🌐 🌕

 쓰기 Writing

1. The following in a conversation between Yeong-mi(영미) and a next-door neighbor. Write the message that Yeong-mi has to relay to her mother.

> 아주머니 영미야, 어머니 계시니?
>
> 영　미 외출해서 아직 안 돌아오셨는데요.
>
> 아주머니 그래? 지난번에 빌린 그릇을 돌려주러 왔어. 덕분에 아주 잘 썼어.
>
> 　　　　 그리고 이건 집에서 만든 과자인데 가족들하고 같이 먹어라.
>
> 영　미 고맙습니다. 잘 먹겠습니다.
>
> 아주머니 엄마 오시면 우리 집에 놀러 오시라고 말씀 드려라.
>
> 　　　　 내가 이따가 어머니께 다시 전화할게. 그럼 잘 있어라.

> 엄마, 아까 옆집 아주머니가 오셨어요.
> 지난번에 1) _____
> 엄마 덕분에 2) _____
> 그리고 집에서 만든 과자를 3) _____ 주고 가셨어요.
> 엄마 오시면 4) _____
> 아주머니가 이따가 5) _____
> 그리고 저에게 잘 있으라고 하시고 가셨어요.

2. Recall a recent phone conversation and write about it as shown above.

New Words & Expressions 2

가지고 다니다 to carry around	간편하다 to be simple	강의 중 lecture in session
글자 letter	덕분에 thanks to	돌려주다 to return
동전 coin	문법 grammar	미소 smile
변경 change	야근하다 to work a night shift	
연구실 professor's office	오래 for a long time	일정 schedule
주고받다 to give and take, to exchange		주문하다 to order
찾아뵙다 to come visit	초급 beginner level	통신 기호 emoticon
회사를 옮기다 to change jobs to another		회의 중 meeting in session

>>> 문화 Culture

>>> Useful Telephone Numbers

- Every country has special telephone numbers to call in emergencies or for information. Do you know what these numbers are in Korea? Talk with your partner.

- The following are emergency telephone numbers as well as helpful numbers used in Korea. Please keep them in mind and use them when needed.

  Crime reporting and police 112   Fire and medical service 119

  Spy reporting 113   Tourism information 134

  Weather information 131   Directory assistance 114

- Share the telephone numbers for emergencies and information that are used in your country.

>>> 자기 평가 Self-Assessment

Do you have a full understanding of what you have studied in this chapter? Assess your Korean using the table below and review the chapter again if necessary.

Assessment Items	Scale		
I can leave a message when the person I would like to talk to is not available.	Excellent	Good	Poor
I can relay a message to someone else.	Excellent	Good	Poor
I can understand voice mail and telephone messages.	Excellent	Good	Poor

▶ 학습 목표 Learning Objectives

Tasks 1. Understanding a conversation about New Year's Day activities
2. Telling stories and explaining traditional holiday activities
3. Understanding New Year's cards and reading a passage about New Year's Day
4. Writing New Year's cards

Vocabulary & Expressions Traditional holiday, New Year's Day, Chuseok (Korean Thanksgiving Day)

Grammar 께, –기(를) 바라다, –아/어/여 보이다

Culture Gift-giving customs in Korea

>>> 들어가기 Warm-up

- 오늘은 무슨 날일까요? 이 사람들은 지금 무엇을 하고 있습니까?
- 여러분 나라에서는 1월 1일에 무엇을 합니까?

>>> **대화** Dialogs

🔊 Track 11

1 A foreigner is invited to a Korean friend's home for New Year's Day.

성준 에릭, 설날에 우리 집에 와서 떡국 먹지 않을래?

에릭 그래도 돼? 설날에 한국 사람들이 어떻게 지내는지 궁금했는데, 잘됐다.

성준 식사 후에 우리 가족들하고 같이 윷놀이도 하자.

에릭 고마워. 그런데 몇 시쯤 가면 돼?

성준 음……. 아침에는 차례를 지내고 부모님께 세배도 드려야 하니까 12시쯤 와.

에릭 알았어. 그런데 갈 때 선물로 뭘 가지고 가면 되지?

성준 선물? 글쎄, 뭐가 좋을까?

에릭 명절 선물로 뭐가 좋을지 생각해 봐.

2 A foreigner gives a traditional bow to his Korean friend's parents.

에 릭 아버님, 어머님. 새해 복 많이 받으십시오.

성준 아버지 에릭도 새해 복 많이 받고, 소원 성취하세요.

성준 어머니 에릭, 올해도 한국말 열심히 공부하고 한국 생활 즐겁게 하세요.

에 릭 네, 감사합니다. 아버님, 어머님께서도 올해 건강하게 지내시기
바랍니다.

성준 동생 나와서 떡국 드세요.

에 릭 와, 뭘 이렇게 많이 차리셨어요? 떡국이 아주 맛있어 보이네요.
잘 먹겠습니다.

성준 어머니 많이 먹어요. 그런데 음식이 입맛에 맞을지 모르겠네요.

New Words & Expressions 1

설날 New Year's Day　　　　　　　　　떡국 rice-cake soup
윷놀이 *yut* game (four-stick game)
차례를 지내다 to hold an ancestor-memorial service
세배를 드리다 to give a traditional bow　　명절 traditional holiday
소원 성취하다 to realize one's wishes　　차리다 to set (the table)
입맛에 맞다 to suit one's taste

1 명절 Traditional Holiday

설날 New Year's Day   추석 Korean Thanksgiving Day

음력 the lunar calendar   양력 the solar calendar

고향에 가다 to visit one's hometown

차례를 지내다 to hold an ancestral-memorial service

한복을 입다 to wear a traditional Korean costume

2 설날 New Year's Day

세배를 하다 to give a traditional bow

세뱃돈 monetary gift in exchange for the traditional bow

떡국을 먹다 to eat rice-cake soup   나이를 먹다 to get older

윷놀이를 하다 to play *yut* (four-stick game)

덕담을 주고받다 to exchange well wishes

3 추석 Chuseok (Korean Thanksgiving Day)

한가위 Chuseok (harvest moon festival)   성묘를 하다 to visit one's ancestral graves

보름달 full moon   소원을 빌다 to pray for wishes

송편 half-moon-shaped rice cake (stuffed with beans and flavored with pine needles)

송편을 만들다 to make a half-moon-shaped rice cake

⊙— 연습 (Practice)

Describe what the people are doing in each picture.

1

2

3

4

5

6

4 유용한 표현 Useful Expressions

새해 복 많이 받으십시오. May the New Year bring you blessings.

소원 성취하세요. May your wishes come true.

올해 하고자 하시는 일이 다 잘되기를 바랍니다.
I wish you the best luck with everything you plan this year.

소망하시는 모든 일을 이루시기를 바랍니다. May all your hopes come true.

건강하게 지내시기 바랍니다. I wish you good health.

그동안 베풀어 주신 은혜에 감사드립니다.
I thank you for all the kindness you have shown me.

부모님 말씀 잘 듣고 친구들하고 사이좋게 지내.
Be a good daughter/son and be nice to your friends.

Complete each dialog by choosing the appropriate sentence for the blank.

1 가: _____

나: 별 말씀을요. 오히려 제가 한 해 동안 신세를 많이 졌습니다.

① 올해도 건강하게 지내시기 바랍니다.

② 그동안 베풀어 주신 은혜에 감사드립니다.

2 가: 새해 복 많이 받으세요.

나: 영진 씨도 _____

① 덕분에 잘 지냈습니다.

② 복 많이 받으시기 바랍니다.

3 가: 올해도 _____

나: 왕밍 씨도 올해 하시고자 하는 일이 잘 되길 바랍니다.

① 소원 성취하세요.

② 사이좋게 지냅시다.

4 가: 할아버지, 할머니 건강하게 오래오래 사세요.

나: 그래. 너도 _____

① 소망하는 모든 일을 이루시기를 바랍니다.

② 부모님 말씀 잘 듣고 친구들하고 사이좋게 지내.

>>> 문법 Grammar

1 께

It is a honorific form of "에게/한테" and is added to a noun referring to a person who is older or holds a higher position.

1 가: 설날에 뭐 했어요?

나: 부모님께 세배를 하고 집에 있었어요.

2 가: 그게 뭐예요?

　나: 어머니께 드릴 선물이에요. 오늘이 어머니 생신이에요.

3 가: 어디에 가요?

　나: 선생님께 보고서를 내러 가요.

4 가: 사장님께 회의 시간을 말씀 드렸습니까?

　나: 아니요, 아직 말씀 안 드렸습니다.

◉— 연습 1(Practice 1)

Fill in each blank with an appropriate word from the box.

께	에	에게

1 친구가 나＿＿＿＿ 편지를 보냈어요.

2 저는 부모님＿＿＿＿ 일주일에 한두 번 전화를 드려요.

3 이 서류를 사장님＿＿＿＿ 드리면 됩니까?

4 오전에 집＿＿＿＿ 전화했어요. 그런데 전화를 받지 않았어요.

◉— 연습 2(Practice 2)

Do you send New Year's cards to the people in the table below? And do you give gifts to these people on a special day? Talk with your partner using "께" or "에게."

사람 ＼ 활동	연하장/카드를 보내다	선물을 하다
아버지 / 어머니		
형제 / 자매		
선생님 / 직장 상사		
친한 친구		

2 -기(를) 바라다

"-기(를) 바라다" is attached to a verb stem to express a speaker's desire. It is often used as courtesy or in formal greetings.

1 가: 새해 복 많이 받으십시오.

나: 감사합니다. 진수 씨에게도 올해 좋은 일이 많이 있기 바랍니다.

2 가: 바쁘신데 이렇게 와 주셔서 감사합니다.

나: 가게가 아주 크네요. 사업이 잘 되기를 바랍니다.

3 가: 입학을 축하해. 앞으로 멋진 대학 생활을 하기 바랄게.

나: 고마워.

4 가: 세 시에 이곳에 다시 모이시기 바랍니다.

나: 네, 알겠습니다.

⊙— 연습 1(Practice 1)

Fill in each blank by using "-기(를) 바라다" with appropriate phrase.

1 할머니, 생신 축하드려요. _____.

2 가게가 지난번보다 좋네요. _____.

3 한국어를 열심히 공부해서 _____.

4 새해에는 _____.

⊙— 연습 2(Practice 2)

Make wishes to the following people by using "-기(를) 바라다."

1 설날, 어른께

2 설날, 친구에게

3 결혼하는 친구에게

4 중요한 시험을 보러 가는 친구에게

3 –아/어/여 보이다

When "–아/어/여 보이다" is attached to an adjective stem, it shows likeness, resemblance or similarity.

a) If the stem ends in a vowel "ㅏ" (excluding '하다') or "ㅗ," "–아 보이다" is used.

b) If the stem ends in any vowel other than "ㅏ" or "ㅗ," "–어 보이다" is used.

c) For "하다," "–여 보이다" is used: however, it is often contracted to "해 보이다."

1 가: 지난 주말에는 푹 쉬었어요.

　　나: 그래서 그런지 얼굴이 아주 좋아 보여요.

2 가: 많이 드세요.

　　나: 잘 먹겠습니다. 떡국이 맛있어 보이네요.

3 가: 제 한복 입은 모습이 어때요?

　　나: 아주 예뻐 보여요.

4 가: 이렇게 와 주셔서 감사합니다.

　　나: 결혼을 축하합니다. 두 분이 아주 행복해 보여요.

⊙— 연습 1(Practice 1)

Look at the picture and make three statements using "–아/어/여 보이다."

⊙— 연습 2 (Practice 2)

How do your classmates look today? Describe your classmates using "–아/어/여 보이다" with four statements each one.

>>> **대화 연습** Conversation Drill

The following is a conversation between two people on New Year's Day. Practice the conversation with a partner and then do it again using the information below.

민 정 샤오칭 씨, 새해 복 많이 받으세요.

샤오칭 민정 씨도 새해 복 많이 받으세요.

민 정 샤오칭 씨는 새해 계획을 세웠어요?

샤오칭 네. 저는 올해 한국어 공부를 열심히 할 생각이에요. 그래서 한국어능력시험 3급에 꼭 합격할 거예요.

민 정 와, 멋져요. 그 꿈을 꼭 이루길 바랄게요.

샤오칭 민정 씨는 무슨 계획이 있어요?

민 정 전 특별한 계획은 없어요. 그냥 열심히 살 생각이에요. 아, 희망이 하나 있는데요, 올해는 남자 친구가 꼭 생겼으면 좋겠어요.

샤오칭 올해 민정 씨한테 멋진 남자 친구가 생기기를 바랄게요.

1

흐엉
- 건강해지다
- 돈을 모으다

성철
- 중국어 공부를 열심히 하다
- 여름 방학에 중국에 어학연수를 가다

2

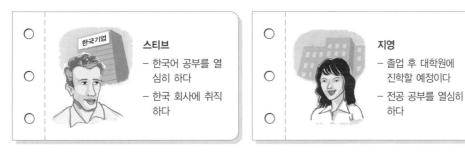

스티브
- 한국어 공부를 열심히 하다
- 한국 회사에 취직하다

지영
- 졸업 후 대학원에 진학할 예정이다
- 전공 공부를 열심히 하다

>>> **과제 Tasks**

 듣기 Listening Track 11

Two friends are greeting each other after New Year's Day. Listen carefully and answer the questions.

1. Choose what Yeong-su(영수) did on New Year's Day. More than one answer is possible.

   ① 부모님과 고향에 갔다.
   ② 친척들과 같이 차례를 지냈다.
   ③ 세배를 하고 세뱃돈을 받았다.

2. Choose what Bao(바오) did on New Year's Day. More than one answer is possible.

   ① 한국 친구 집에 갔다.
   ② 부모님께 전화를 했다.
   ③ 친구들과 음식을 만들어 먹었다.

 말하기 Speaking

Discuss traditional holidays of different countries with a partner.

1. Write down the traditional holidays in your country and explain how people celebrate them.

명절	하는 일
Ex. 설날	차례를 지내다, 세배하다, 떡국을 먹다

2. What other traditional holidays are there in different countries? How are traditional holiday customs of other countries different from those of your country? Discuss the differences with your classmates.

나라/지방	명절	하는 일

3. Explain some of the traditional holiday customs in your country or family. Use pictures if possible.

읽기 Reading

1 Read the following New Year's cards and answer the questions.

1. The following are New Year's cards to your friend and to your teacher. Read them carefully and see how the contents and expressions are different.

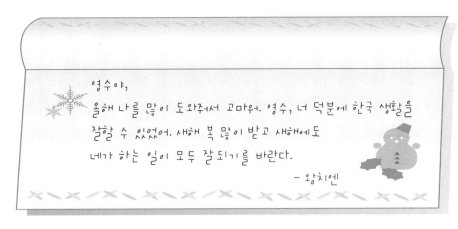

영수야,
올해 나를 많이 도와줘서 고마워. 영수, 너 덕분에 한국 생활을 잘할 수 있었어. 새해 복 많이 받고 새해에도 네가 하는 일이 모두 잘되기를 바란다.
— 왕치엔

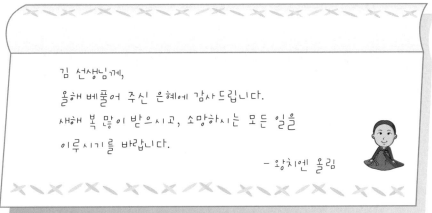

김 선생님께,
올해 베풀어 주신 은혜에 감사드립니다.
새해 복 많이 받으시고, 소망하시는 모든 일을 이루시기를 바랍니다.
— 왕치엔 올림

2. Write down how the expressions in the two cards are different from one another.

	친구	어른
1) 고마움의 표시		
2) 축원		
3) 받는 사람과 보내는 사람 표시		

2 The following passage is about New Year's Day. Read it carefully and answer the questions.

1. Think about what you might find in the text.

2. Summarize the new facts you learned by reading the passage and discuss them with a partner.

한국에서는 음력 1월 1일을 설날이라 하는데, 설날은 추석과 함께 한국의 가장 큰 명절이다. 이날, 대부분의 사람들은 부모님 댁이나 고향에 가서 가족과 함께 설날을 보낸다.

설날 아침에는 많은 가정에서 여러 가지 음식을 준비해서 차례를 지낸다. 차례는 조상께 인사를 드리는 것이다. 그리고 한 해를 건강하게 잘 지내기를 바라는 마음에서 부모님과 웃어른께 세배를 한다. 세배를 받은 어른은 덕담을 해 주면서 세뱃돈을 주기도 한다.

설날의 대표적인 음식은 떡국인데, 떡국을 먹으면 나이를 한 살 더 먹는다고 한다. 또 설날에는 웃어른을 방문하거나 온 가족이 모여서 윷놀이를 하면서 즐거운 시간을 보내기도 한다. 그리고 고궁에서 널뛰기나 연날리기와 같은 민속놀이를 즐기는 사람들도 볼 수 있다. 설날에는 한국의 전통의상인 한복을 입은 사람들도 많이 볼 수 있다.

1) 언제: _____

2) 활동: _____

3) 음식: _____

4) 옷 : _____

 쓰기 Writing

Write a New Year's card to your friend or to an older adult.

1. Think about to whom and about what you will write in the card.

2. Write a New Year's card for someone you would like to send one to.

새해 복 많이 받으십시오.

고궁 old palace	나이를 먹다 to get older	내다 to submit
널뛰기 seesaw (play)	덕담 well-meant remarks	덕분에 thanks to
돈을 모으다 to save money	맏아들 the eldest son	멋지다 to be fascinating
모이다 to gather	민속놀이 folk games	베풀다 to show mercy
보고서 report	부르다 (=초대하다) to call for, to invite	
사업이 잘 되다 business is doing well		사이좋게 지내다 to get along well
사촌동생 cousin	새해 계획 New Year's resolutions	
생신 (honorific) birthday	신세를 지다 to be indebted to	어리다 to be young
얼굴이 좋아 보이다 to look well		연날리기 kite flying
연하장 New Year's card	열심히 hard	오히려 rather
온 가족 whole family	웃어른 older adult	은혜 favor, benefit
전통의상 traditional costumes		조상 ancestor
축원 praying, wish	푹 쉬다 to rest up	합격하다 to pass
형제 brothers		

>>> 문화 Culture

>>> Gift-Giving Customs in Korea

● What kinds, to whom and on what occasions do Koreans give gifts? What are some popular gifts given on specific holidays? Discuss with a partner.

● Read about gift-giving customs in Korea below.

Koreans give gifts during holidays as well as on celebratory occasions such as birthdays, weddings, and admission to university.

The gifts vary depending on the occasion or the person receiving the gift. For a birthday or for admission to a university, a useful item that the person needs is usually given. For a wedding, household items can be given, but most Koreans tend to give money instead. For holidays like New Year's Day or Chuseok, gifts are given to people you appreciate, such as parents, bosses and neighbors. Holiday gifts such as ribs, dried yellow corvina, fruit, wine and gift certificates from department stores are very popular. Food items like cooking oil, canned tuna or dried seaweed can be given to close neighbors on the holidays as well.

● Talk about the gift-giving customs in your country.

>>> ## 자기 평가 Self-Assessment

Do you have a full understanding of what you have studied in this chapter? Assess your Korean using the table below and review the chapter again if necessary.

Assessment Items	Scale		
I can greet people on New Year's Day according to the situations.	Excellent	Good	Poor
I can have a simple conversation about traditional holiday customs.	Excellent	Good	Poor
I can read and write about traditional holidays.	Excellent	Good	Poor

Manners & Regulations

예절과 질서

▶ 학습 목표 Learning Objectives

Tasks 1. Listening to interviews about Korean manners
2. Discussing manners in different countries and regions
3. Reading bulletin board postings in public places and a passage about proper handshaking
4. Writing a letter introducing manners in one's own country

Vocabulary & Expressions Manners, cultural differences, rules & regulations
Grammar −아/어/여도 되다, −(으)면 안 되다, −냐고 하다, −자고 하다
Culture Etiquette in Korea

>>> 들어가기 Warm-up

- 가족들은 왜 식사를 하지 않고 있습니까?
- 여러분 나라에서 식사할 때 지켜야 할 예절이 있습니까?

>>> **대화** Dialogs　　　　　　　　　　　　　　　　　Track 12

1 **A foreigner is having a meal with a Korean friend's family.**

소　　영　샤오칭 씨, 이리 앉으세요.

샤 오 칭　정말 맛있겠는데요. (수저를 들면서) 잘 먹겠습니다.

소　　영　잠깐만요. 한국에서는 어른이 수저를 들기 전에 먼저 먹으면 안 돼요.

샤 오 칭　아, 그래요? 죄송합니다. 제가 잘 몰라서 그랬어요.

할아버지　괜찮아요. 자, 듭시다.

샤 오 칭　이제 먹어도 돼요? (그릇을 손에 든다.)

소　　영　네, 그런데 밥그릇을 손에 들지 말고 상 위에 놓고 드세요.

샤 오 칭　아, 네. 제가 한국의 식사 예절을 좀 배워야겠네요.

2 **Two friends are talking about table manners.**

케빈　　여행은 재미있었어요?

수진　　네, 재미있었어요. 그런데 인도에서는 왼손으로 음식을 먹으면 안 된다고 해
　　　　요. 제가 왼손으로 빵을 먹는데, 인도 친구가 안 된다고 해서 깜짝 놀랐어요.

케빈　　저도 한국에서 문화 차이 때문에 놀란 적이 많아요. 처음 만난 한국 사람이
　　　　몇 살이냐고 물었을 때는 정말 놀랐어요.

수진　　저도 외국 친구들한테서 그런 이야기를 많이 들었어요.

케빈　　그리고 한국 친구들은 헤어질 때 다음에 밥 한번 먹자고 해요. 처음에 그게
　　　　인사말인지 몰라서 많이 기다렸어요.

수진　　그래요? 우리는 인사로 많이 하는 말인데요.

New Words & Expressions 1

이리 here	수저 spoon	들다 to lift up
먼저 in advance, earlier than	밥그릇 rice bowl	상 table
식사 예절 table manners	(깜짝) 놀라다 to be surprised	
문화 차이 cultural difference		

1 예절 Manners

예의가 있다/없다 to have good/bad manners

예의를 지키다 to keep proper manners   예의가 바르다 to be courteous

공손하다 to be polite   무례하다 to be impolite

실례가 되다 to be disrespectful   버릇이 없다 to be ill-mannered

연습 (Practice)

Categorize the vocabulary in the box as positive or negative.

| 예의가 없다 | 예의를 지키다 | 무례하다 | 공손하다 |
| 예의가 바르다 | 실례가 되다 | 버릇이 없다 | |

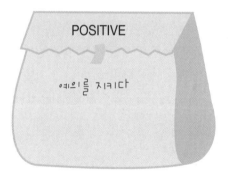

POSITIVE

예의를 지키다

NEGATIVE

예의가 없다

2 문화 차이 Cultural Differences

고개를 숙여 인사하다 to greet by bowing one's head

머리를 쓰다듬다 to stroke one's head   나이를 물어보다 to ask one's age

신발을 벗고 들어가다 to enter with the shoes off

숟가락을 들다 to pick up a spoon   손으로 밥을 먹다 to eat with hands

밥그릇을 들고 먹다 to eat with the rice bowl held up

밥값을 나누어 내다 to go Dutch

⊙— 연습 1(Practice 1)

Fill in each blank with an appropriate expression from the box. Change the form if necessary.

> 고개를 숙여 인사하다   머리를 쓰다듬다   밥그릇을 들고 먹다
> 손으로 밥을 먹다   밥값을 나누어 내다

1 한국에서는 친구에게는 인사말만 해도 되지만 어른에게는 _____ 된다.

2 한국에서는 식사할 때 국그릇이나 _____ 안 된다.

3 오늘 공원에서 본 아기가 너무 귀여워서 아이의 _____.

4 예전에는 식사 후에 나이가 많은 사람이 돈을 내는 경우가 많았지만, 요즘은 _____ 경우가 많다.

⊙— 연습 2(Practice 2)

Discuss whether the following actions are acceptable or not in your country.

1 고개 숙여 인사하는 것
2 머리를 쓰다듬는 것
3 밥그릇을 들고 먹는 것
4 손으로 밥을 먹는 것
5 밥값을 나누어 내는 것

3 규칙 및 질서 Rules & Regulations

법 law	질서 regulations
규칙 rule	법을 지키다 to follow the law
법을 어기다 to break the law	벌금을 내다 to pay fine
줄을 서다 to line up	차례를 지키다 to wait for one's turn
끼어들다 to cut in	쓰레기를 버리다 to litter
무단 횡단을 하다 to jaywalk	새치기를 하다 to cut in (line)

⊙— 연습 (Practice)

Fill in each blank with an appropriate expression from the box. Change the form if necessary.

줄을 서다	벌금을 내다	끼어들다
법을 지키다	무단 횡단을 하다	

1 차 앞으로 갑자기 큰 버스가 _____ 깜짝 놀랐습니다.

2 지하철을 탈 때는 _____ 차례대로 타야 합니다.

3 교통 신호를 어긴 사람은 _____ 합니다.

4 여기서 _____ 안 됩니다. 저기 횡단보도로 건너가세요.

4 유용한 표현 Useful Expressions

실례지만 전화 좀 써도 되겠습니까? Excuse me, may I use the phone?

쓰레기를 아무 데나 버리면 안 됩니다. You are prohibited from littering.

어른보다 먼저 수저를 드는 것은 실례가 됩니다.

It is disrespectful to start eating a meal before an adult.

새치기를 하지 말고 줄을 서세요. Do not cut in line.

한국에서는 어른 앞에서 담배를 피우면 실례가 됩니다.

In Korea, it is disrespectful to smoke in front of an adult.

그쪽으로 가시면 안 됩니다. You should not go that way.

죄송합니다. 제가 잘 몰라서 그랬어요. I'm sorry, I did it because I wasn't aware.

⊙— 연습 (Practice)

Complete each dialog by choosing the appropriate sentence for the blank.

1 가: 먼저 먹어도 돼요?

　　나: _____

　　① 네, 배고파서 먼저 먹었어요.

　　② 어른보다 먼저 수저를 드는 것은 실례가 됩니다.

2 가: 쓰레기를 그냥 여기에 버립시다.

　　나: _____

　　① 아무 데나 쓰레기를 버리면 안 됩니다.

　　② 아무 데나 쓰레기를 버리면 버릇이 없습니다.

3 가: _____

　　나: 네, 그러세요.

　　가: 감사합니다. 금방 쓰고 드릴게요.

　　① 실례지만 전화 좀 써도 되겠습니까?

　　② 여기 앉으세요. 자, 듭시다.

4 가: 그쪽으로 가시면 안 됩니다.

　　나: _____

　　가: 다음부터 조심하세요.

　　① 법을 지키세요.

　　② 죄송합니다. 제가 잘 몰라서 그랬어요.

>>> **문법** Grammar

1 –아/어/여도 되다

When "–아/어/여도 되다" is attached to a verb stem, it signifies giving permission to do an action. Instead of "되다," "좋다" or "괜찮다" can also be used.

a) If the stem ends in a vowel "ㅏ" (excluding '하다') or "ㅗ," "–아도 되다" is used.

b) If the stem ends in any vowel other than "ㅏ" or "ㅗ," "–어도 되다" is used.

c) For "하다," "–여도 되다" is used: however, it is often contracted to "해도 되다."

1 가: 한국에서는 어린아이의 머리를 쓰다듬어도 돼요?

　　나: 네, 괜찮아요.

2 가: 다른 사람의 집에 저녁 아홉 시쯤 전화해도 돼요?

　　나: 네, 괜찮아요.

3 가: 죄송합니다만, 약속이 있는데 먼저 일어나도 될까요?

　　나: 네, 그러세요.

4 가: 선생님께 말씀 드리지 않아도 돼요?

　　나: 제가 말씀 드릴 테니까 걱정하지 마세요.

Complete each dialog using "–아/어/여도 되다."

1 가: _____?
   나: 안 돼요. 여기서 길을 건너지 마세요.

2 가: _____?
   나: 아니요, 그 물은 마시지 마세요.

3 가: _____?
   나: 네, 들어오세요.

4 가: 여기 좀 _____?
   나: 네, 앉으세요.

Do you know what you can or cannot do at school? Talk with your partner about your school rules using "–아/어/여도 되다."

2 –(으)면 안 되다

When "–(으)면 안 되다" is attached to a verb or adjective stem, it signifies that an action or a situation is prohibited.
a) If the stem ends in a vowel or "르," "–면 안 되다" is used.
b) If the stem ends in a consonant other than "르," "–으면 안 되다" is used.

1 가: 여기요. 재떨이 좀 주세요.
   나: 죄송합니다만, 식당 안에서 담배를 피우시면 안 됩니다.

2 가: 여기서 사진을 찍어도 됩니까?
   나: 아니요, 박물관 안에서는 사진을 찍으면 안 됩니다.

3 가: 지난번에 빌린 책 다음에 갖다 드리면 안 돼요?
   나: 괜찮아요. 천천히 갖다 주세요.

4 가: 다른 사람 집에 10시 넘어서 전화하면 안 돼요?
   나: 안 돼요. 밤늦게 전화하면 실례예요.

⊙— 연습 1(Practice 1)

Look at the signs and practice having a conversation as shown in the example.

Ex.

가: 잔디밭에 들어가도 돼요?

나: 아니요, 잔디밭에 들어가면 안 돼요.

1

2

3

4

⊙— 연습 2(Practice 2)

Talk with your partner about two things that you think would be prohibited in each of the following situations.

1 도서관 안

2 시험 보는 교실

3 극장 안

4 어른 앞

3 –냐고 하다

This form is used when quoting an interrogative sentence. For verbs, "–느냐고 하다" is used, for adjectives, "–(으)냐고 하다" and for the "noun–이다" form, "–(이)냐고 하다." However, these days "–냐고 하다" is more often used instead of "–느냐고 하다" and "–으냐고 하다." Depending on the tense of an interrogative sentence, "–았/었/였냐고 하다," "–겠냐고 하다" or "–(으)ㄹ 거냐고 하다" is used. Here is a summary.

■ **The Present Tense**

1) "–느냐고 하다" is attached to a verb stem.

2) For adjectives, a) if the stem ends in a vowel, "–냐고 하다" is used.

                b) if the stem ends in a consonant, "–으냐고 하다" is used.

3) For the "noun–이다" form, a) if the noun ends in a vowel, "–냐고 하다" is used.

                b) if the noun ends in a consonant, "–이냐고 하다" is used.

■ **The Past · Past Perfect Tense**

"–았/었/였냐고 하다" is attached to the stem.

■ **The Future Tense · Conjecture**

"–겠냐고 하다" or "–(으)ㄹ 거냐고 하다" is attached to the stem. "–았/었/였겠냐고 하다" is attached to the stem that signifies the conjecture of the past perfect tense.

   1 가: 외국 친구들이 무슨 질문을 많이 해요?
      나: 왜 한국 사람들은 친구들끼리 팔짱을 끼고 다니느냐고 해요.

   2 가: 존슨 씨가 한국 친구의 집을 방문할 때 뭘 사 가지고 가면 좋으냐고 하는데요.
      나: 글쎄요. 꽃이나 과일이 어떨까요?

   3 가: 어제 면접할 때 제일 먼저 어떤 질문을 받았어요?
      나: 왜 이 회사에 지원했느냐고 했어요.

   4 가: 영주 씨랑 무슨 얘기를 했어요?
      나: 내일 뭐 할 거냐고 해서 친구하고 극장에 갈 거라고 했어요.

⊙— 연습 1(Practice 1)

Complete each dialog by using "–냐고 하다."

1 가: 수미 씨가 _____.

　 나: 네, 전화번호를 안다고 전해 주세요.

2 가: 엄마가 저녁 때 _____.

　 나: 나는 불고기를 먹고 싶다고 전해 줘.

3 가: 아사코 씨가 _____.

　 나: 내일까지 그 일을 끝낼 거라고 전해 주세요.

4 가: 미선 씨가 _____.

　 나: 아무도 카메라를 안 가지고 왔다고 전해 주세요.

⊙— 연습 2(Practice 2)

What are the two questions you are asked most frequently by your teacher or parents? Talk with your partner using "–냐고 하다."

4 –자고 하다

This form is attached to a verb stem and is used to quote a propositive sentence.

1 가: 친구가 공원에서 개를 데리고 산책하자고 하는데 그래도 돼요?

　 나: 줄로 묶어서 데리고 가면 괜찮아요.

2 가: 한국에서 식사할 때 주의해야 할 예절이 있어요?

　 나: 네, 보통 어른이 먹자고 할 때까지 식사하지 말고 기다려야 해요.

3 가: 이번 주말에 무슨 계획 있어요?

　 나: 친구들이 시험이 끝났으니까 저녁에 만나서 같이 놀자고 했어요.

4 가: 다음 주에 비가 온다고 하는데 그래도 여행을 갈 거예요?

　 나: 아니요. 비가 오면 가지 말자고 했어요.

Complete each dialog by using "-자고 하다" as shown in the example.

> **Ex.**
>
> | 소영: 내일 같이 영화 보러 갑시다. |
> | :-- |
>
> 가: 소영 씨가 뭐라고 했어요?
>
> 나: 내일 같이 영화 보러 가자고 했어요.

1 | 친구들: 다음 주에 마리 씨 생일 파티를 해 줍시다. |
   | :-- |

   가: 친구들이 어제 뭐라고 했어요?

   나: _____.

2 | 학생들: 시험을 보지 맙시다. |
   | :-- |

   가: 학생들이 선생님께 뭐라고 했어요?

   나: _____.

3 | 친구들: 내일 등산갈 때 모두 흰 티셔츠를 입자. |
   | :-- |

   가: 어제 친구들과 만나서 무슨 이야기를 했니?

   나: _____.

4 | 사장님: 그 일을 김 과장에게 부탁합시다. |
   | :-- |

   가: 사장님께서 아까 뭐라고 하셨어요?

   나: _____.

⊙— 연습 2(Practice 2)

What do you say to your friends in the following situations? Practice by using "-자고 하다."

1 헤어질 때
2 시험이 끝났을 때
3 오래간만에 만났을 때
4 힘든 일이 생겼을 때

>>> **대화 연습** Conversation Drill

Two friends are talking about manners in Korea. Practice the conversation with a partner and then do it again using the information below.

생활 예절	한국
• 어른 앞에서 담배를 피우다	(×)
• 어른 앞에서 술을 마시다	(○)
• 윗사람에게 먼저 악수하자고 손을 내밀다	(×)
• 친구에게 먼저 악수하자고 하다	(○)

가   나라마다 생활 예절이 다른 것 같아요. 한국에서는 어른 앞에서 담배를 피워도 돼요?

나   아니요, 그렇게 하면 안 돼요.

가   그럼 어른 앞에서 술도 마시면 안 돼요?

나   아니요, 술은 마셔도 돼요.

가   그래요? 그럼 윗사람에게 악수하자고 먼저 손을 내미는 것은 어때요?

나   그건 안 돼요.

가   친구에게는 먼저 악수하자고 해도 돼요?

나   그건 괜찮아요.

생활 예절	우리나라	친구의 나라
• 식사할 때 어른보다 먼저 수저를 들다		
• 밥을 먹으면서 이야기를 하다		
• 방에 신발을 신고 들어가다		
• 밤늦게 전화를 걸다		
•		
•		
•		

 **듣기** Listening

◀ Track **12**

1. Have you ever been embarrassed when you met a Korean? Share your experience with a partner.

2. The following is an interview with foreigners about the cultural differences they have experienced in Korea. Listen carefully and circle **T** (True) or **F** (False).

1) 한국에서 친구들끼리 팔짱을 끼고 다니는 일은 이상한 일이 아니다.   T   F
2) 한국에서 아이의 볼을 만지는 것은 귀엽다는 표현이다.   T   F
3) 한국 여자들은 나이가 많은 남자들을 모두 오빠라고 부른다.   T   F
4) 노인에게 자리를 양보하는 것은 동양과 서양이 비슷하다.   T   F

 말하기 Speaking

Does your country have manners that are different from those of Korea? Discuss them with a partner.

1. Are there certain things that one should not do when visiting someone's house or when eating in your country or region? Write information about it.

2. What do you think manners in other countries are like? Discuss them as shown in the example and make two statements per country about things that are prohibited.

Ex.

가: 어른 앞에서 담배를 피워도 돼요?

나: 아니요, 한국에서는 그러면 안 돼요.

	나라	하면 안 되는 것
1)		
2)		
3)		
4)		

 읽기 Reading

1 The following is a notice that can be seen in public places. Read it carefully and answer the questions.

1. Think about what manners need to be observed in public places.

2. Read the following notice and answer the questions.

이용객 주의사항

* 긴 의자에 눕거나 신발을 신고 올라가면 안 됩니다.

* 조용히 쉬는 사람들에게 방해가 되므로 큰소리로 떠들거나 노래를 부르면 안 됩니다.

* 쓰레기를 아무 데나 버리면 안 됩니다.

* 개나 고양이를 데리고 산책할 때는 꼭 줄로 묶어서 데리고 다녀야 합니다.

1) Where can you find such a notice?

① 공원   ② 호텔   ③ 백화점   ④ 공항

2) Which of the following statements is NOT true?

① 강아지를 데리고 들어갈 수 있다.

② 큰소리로 노래를 부르면 안 된다.

③ 피곤하면 긴 의자에 누울 수 있다.

2 Read the following passage about shaking hands and answer the questions.

악수는 서양에서 온 예절이지만 요즘은 한국에서도 많이 사용되는 인사법입니다. 악수에는 몇 가지 예절이 있습니다.

첫째, 악수는 윗사람이 먼저 하자고 청하는 것이 보통입니다. 선후배 사이에서도 먼저 선배가 청합니다. 아랫사람이나 후배가 먼저 악수를 청하는 것은 예의가 아닙니다.

둘째, 남자와 여자가 만났을 때에는 여자가 먼저 악수를 청합니다. 남자가 먼저 악수를 청하면 실례가 됩니다.

셋째, 악수를 하면서 아랫사람이 너무 허리를 굽히면 이것도 예의가 아닙니다.

그리고 나이 차이가 아주 많이 나거나 아주 높은 분과 악수를 할 때는 두 손으로 하는 것이 좋습니다.

1. What is the best title for this passage?

① 악수의 예절   ② 한국의 인사법   ③ 악수의 역사

2. Scan the reading and circle **T** (True) or **F** (False).

1) 후배가 선배에게 먼저 악수를 하자고 하면 실례가 됩니다.   **T**   **F**

2) 남자는 여자에게 먼저 악수를 하자고 해도 됩니다.   **T**   **F**

3) 아랫사람이 윗사람에게 악수를 하자고 하면 안 됩니다.   **T**   **F**

4) 윗사람과 악수할 때 두 손으로 해도 괜찮습니다.   **T**   **F**

 쓰기 Writing

Write a letter to your friend who is visiting your country for the first time to inform him/her of the manners that should be observed in your country.

1. Write down the manners that must be observed in your country.

2. Using the information above, write a letter to your Korean friend who is visiting your country for the first time and explain the manners that need to be observed.

교통 신호 traffic light 　　　　극장에 가다 to go to a theater

나이 차이가 나다 to have an age gap 　　　　　　　내밀다 to reach out

당황하다 to be embarrassed 　데리고 가다 to take along 　동양 the East, Asia

만지다 to touch 　　　　　　방해가 되다 to disturb 　　볼 cheek

사이 relations 　　　　　　사진을 찍다 to take a picture 　산책하다 to take a walk

서양 the West 　　　　　　선후배 senior and junior 　아랫사람 younger person

아무도 no one 　　　　　　악수하다 to shake hands 　양보하다 to concede

어색하다 to feel awkward 　윗사람 older adult 　　　인사법 ways of greeting

재떨이 ashtray 　　　　　　주의하다 to warn 　　　줄로 묶다 to tie with a leash

차례대로 in order 　　　　　천천히 slowly 　　　　청하다 to request

팔짱을 끼다 to link arms 　허리를 굽히다 to stoop 　횡단보도 crosswalk

>>> 문화 Culture

>>> Etiquette in Korea

● Choose the behavior that might be considered improper in Korea. More than one answer is possible.

① I bowed when greeting my friend's father.

② In order to listen attentively, I looked straight at my teacher's eyes when getting reprimanded.

③ I initiated a handshake with an older person because I should greet elders first.

④ I patted a child's head because I thought the child was cute.

⑤ I went into my friend's house with my shoes on.

⑥ I held up my rice bowl when eating because I did not want to spill any food.

⑦ I turned my head to drink alcohol when there is an older person present.

● Read the following passage carefully and try to understand Korean culture.

• When greeting an older person in Korea, you must always bow your head. Although you can omit the greeting "How are you?" you must never forget to bow.

• In Korea, you should not look an older person straight in the eyes. In particular, when getting reprimanded, you need to demonstrate remorse.

For this reason, looking directly at someone is prohibited. Even when you are not being reprimanded, you should focus on the midpoint between their eyes.

- In Korea, you should not initiate a handshake with an older person. Although the handshake is a Western form of greeting, when initiating a handshake with a Korean, you must first determine the other person's social position (in relation to yours).
- In Korea, when you see a cute child, it is permissible to pat the child's head and give a compliment.
- Shoes can not be worn inside the house in Korea.
- In Korea, it is improper to hold up your bowl when eating.
- In Korea, you should not smoke in front of older people. In addition, if you must drink alcohol, you must turn your head away from them to drink.

● Talk about and explain some common rules or etiquette in your country that your foreign friends should know.

>>> 자기 평가 Self-Assessment

Do you have a full understanding of what you have studied in this chapter? Assess your Korean using the table below and review the chapter again if necessary.

Assessment Items	Scale		
I can listen to and understand interviews about manners in Korea.	Excellent	Good	Poor
I can speak about manners in my country.	Excellent	Good	Poor
I can read and write about manners.	Excellent	Good	Poor

예약

▶ 학습 목표 Learning Objectives

Tasks   1. Listening to a hotel reservation being made by phone
      2. Making a hotel reservation at a hotel
      3. Understanding an advertisement for a hotel travel package and reading
        a passage about reservations and cancellations
      4. Writing an introduction to accommodations

Vocabulary & Expressions Reservations, accommodations, restaurant-related
                                words

Grammar   –(으)려면, (으)로¹, –(으)ㄹ까 하다, 아무 (이)나

Culture   Accommodations in Korea

>>> 들어가기 Warm-up

- 이 사람은 지금 무엇을 하고 있는 것 같습니까?
- 호텔이나 식당을 예약할 때 무엇을 이야기하고, 확인해야 할까요?

1 A customer is calling a hotel to make a reservation.

직원　안녕하십니까. 한국호텔입니다. 무엇을 도와 드릴까요?

고객　저, 11월 12일부터 14일까지 예약을 하려고 하는데요.

직원　12일부터 14일까지요? 몇 분이십니까?

고객　두 명입니다.

직원　더블룸으로 해 드릴까요, 트윈룸으로 해 드릴까요?

고객　트윈룸으로 해 주세요. 그리고 금연룸으로 부탁 드릴게요.

직원　네, 알겠습니다. 그럼 예약 내용 확인해 드리겠습니다. 11월 12일부터 14일까지 트윈룸으로 2박 예약하셨습니다. 혹시 더 필요하신 것은 없으십니까?

고객　아니요, 괜찮습니다. 참, 인천 공항에서 호텔까지 가려면 어떻게 가야 됩니까?

직원　호텔 리무진 버스와 공항버스, 그리고 지하철이 있습니다. 그 중에서 아무거나 이용하시면 됩니다.

2 A woman is calling a restaurant to make a reservation.

직원　안녕하십니까. '고향' 입니다.

손님　다음 주 금요일 저녁 6시로 예약 좀 할까 하는데요.

직원　5일 저녁이요? 몇 분이십니까?

손님　7명이에요.

직원　금연석으로 준비할까요, 흡연석으로 준비할까요?

손님　금연석으로 해 주세요.

직원　네, 알겠습니다. 메뉴는 무엇으로 하시겠습니까?

손님　메뉴는 그 날 가서 정할게요.

직원　네, 알겠습니다. 성함하고 연락처 좀 알려 주시겠습니까?

손님　강유리. 전화번호는 010-1234-5678입니다.

예약을 하다 to make a reservation   더블룸 double room
트윈룸 double occupancy room (twin beds)   금연룸 non-smoking room
–박 (number of) night(s)   참 by the way   리무진 버스 limousine bus
아무거나 whatever   금연석 non-smoking seat   흡연석 smoking seat
메뉴 menu   성함 (honorific) (full) name

>>> 어휘 및 표현 Vocabulary & Expressions

1 예약 Reservations

예약하다 to make a reservation   확인하다 to confirm, to verify

변경하다 to change, to modify   취소하다 to cancel

성함 (honorific) (full) name   연락처 contact information

◉— 연습 (Practice)

Fill in each blank with an appropriate word from the box. Change the form if necessary.

예약하다	확인하다	취소하다
변경하다	성함	연락처

1 _____과/와 _____을/를 알려 주시면 나중에 다시 연락 드리겠습니다.

2 호텔은 정했어요? 미리 _____ 않으면 나중에 못 구할 수도 있어요.

3 예약되셨고요, 혹시 일정을 _____ 싶으시면 하루 전까지 알려 주시기 바랍니다.

4 일이 생겨서 여행을 갈 수 없게 되었습니다. 예약을 _____ 싶습니다.

2 숙박 Accommodations

숙박하다 to stay at, to lodge at   묵다 to stay at, to lodge at

호텔 hotel   모텔 motel

민박 lodgings at a private residence (guesthouse)

펜션 pension (boarding house)   침대방 room with a bed

온돌방 Korean style floor-heated room

숙박료 lodging fee   1박 2일 (trip for) two days and one night

3 식당 관련 어휘 Restaurant-Related Words

한식 Korean food   중식 Chinese food

일식 Japanese food   양식 Western food

정식 fixed menu   한정식 traditional Korean meal

금연석 non-smoking seat   흡연석 smoking seat

⊙— 연습 (Practice)

Fill in each blank with an appropriate word from the box. Change the form if necessary.

숙박하다	호텔	민박	한식
중식	금연석	흡연석	

1 이 호텔에서는 며칠 동안 _____ 예정이십니까?

2 이번에는 호텔에 묵지 않고 한국 사람의 집에서 _____을 할 생각이에요.

3 아이가 있으니까 자리는 _____으로 부탁 드릴게요.

4 점심은 _____으로 할까요, _____으로 할까요?

4 유용한 표현 Useful Expressions

예약을 하고 싶은데요. (Excuse me, but) I would like to make a reservation.

이번 주 토요일은 예약이 다 끝났습니다. Nothing is available for this Saturday.

금연석으로 부탁 드립니다. I would like to request a non-smoking seat, please.

1박에 얼마예요? How much is one night?

조식이 포함된 가격입니까? Is breakfast included in this price?

조식을 포함해서 이십만 원입니다.

The price with breakfast included is 200,000 won.

성함하고 연락처 좀 알려 주시겠습니까?

Would you please give your full name and contact information.

⊙— 연습 (Practice)

Complete the following dialog by choosing the appropriate sentence for each blank.

가: 5월 5일부터 7일까지 1 _____

나: 네. 몇 분이십니까?

가: 둘이에요. 더블룸으로 해 주세요.

나: 죄송합니다만 더블룸은 지금 모두 2 _____

가: 그럼 트윈룸으로 해 주세요. 1박에 얼마예요?

나: 15만 원입니다.

가: 3 _____

나: 네, 조식이 포함된 가격입니다. 4 _____

가: 이름은 김민수이고요, 전화번호는 010-1234-5678입니다.

---

1 ① 예약을 하고 싶은데요.   ② 예약을 변경하고 싶은데요.

2 ① 예약이 취소되었습니다.   ② 예약이 끝났습니다.

3 ① 숙박료가 어떻게 됩니까?   ② 조식이 포함된 가격입니까?

4 ① 성함하고 연락처 좀 알려 주시겠습니까?   ② 메모를 전해 드릴까요?

1 -(으)려면

"-(으)려면" is the abbreviated form of "-(으)려고 하면" and is attached to a verb stem to mean *if you have the intention to do that action*.

a) If the verb stem ends in a vowel or "ㄹ," "-려면" is used.

b) If the verb stem ends in a consonant other than "ㄹ," "-으려면" is used.

1 가: 여기에서 한국호텔까지 어떻게 가야 돼요?

　나: 한국호텔에 가려면 리무진 버스를 타야 해요.

2 가: 맛있는 한국 음식을 먹고 싶은데 어디가 좋을까요?

　나: 한국 음식을 먹으려면 서울식당으로 가는 게 좋아요.

3 가: 인사동에 가려면 몇 번 버스를 타야 돼요?

　나: 버스는 막히니까 지하철을 타고 가세요.

4 가: 불고기를 만들려면 무슨 고기를 사야 돼요?

　나: 소고기를 사면 돼요.

◉― **연습 1**(Practice 1)

Complete each dialog by using "-(으)려면."

1 가: 다음 달에 서울에 놀러 가려고 하는데, 어떻게 하면 싸고 좋은 호텔을 찾을 수 있을까요?

　나: ＿＿＿＿＿＿＿＿＿＿＿ 인터넷으로 알아보는 게 좋아요.

2 가: 지금 예약을 취소할 수 있습니까?

　나: ＿＿＿＿＿＿＿＿＿＿＿ 이틀 전까지 연락하셔야 합니다. 지금은 취소가 안 됩니다.

3 가: 한국 신문을 읽고 싶어요.

　나: ＿＿＿＿＿＿＿＿＿＿＿ 먼저 한자어를 많이 공부하세요.

4 가: 부산에 전화를 걸려고 해요. 지역 번호가 어떻게 돼요?

　나: ＿＿＿＿＿＿＿＿＿＿＿ 먼저 051을 누르세요.

⊙— 연습 2 (Practice 2)

How should you study if you want to be proficient in Korean? Using "–(으)려면," talk with your partner about ways to study Korean, such as approaches to speaking, listening, vocabulary and grammar.

2 (으)로[1]

When "(으)로" is attached to a noun, it indicates the selection of that noun.

a) If the noun ends in a vowel or "ㄹ," "로" is used.

b) If the noun ends in a consonant other than "ㄹ," "으로" is used.

1 가: 호텔은 어디로 할까요?

　 나: 시내에서 가까운 곳으로 해 주세요.

2 가: 금연석하고 흡연석 중에서 어디로 예약해 드릴까요?

　 나: 금연석으로 해 주세요.

3 가: 금요일 저녁에 여섯 명 예약 되셨고요, 메뉴는 뭘로 하시겠어요?

　 나: 불고기 정식으로 해 주세요.

4 가: 출발 시간을 언제로 할까요?

　 나: 오후 5시쯤으로 해 주세요.

⊙— 연습 (Practice)

Complete each dialog by using "(으)로."

1 가: 식사는 비빔밥과 불고기 중에서 뭘로 드릴까요?

　 나: _____.

2 가: 방은 침대방과 온돌방이 있습니다.

　 나: _____.

3 가: 바다 쪽 방으로 해 드릴까요, 시내 쪽 방으로 해 드릴까요?

　 나: _____.

4 가: 자리는 어느 쪽이 좋으세요?

　 나: _____.

3 -(으)ㄹ까 하다

When "-(으)ㄹ까 하다" is attached to a verb stem, it expresses the intention of doing the action of that verb.

a) If the stem ends in a vowel or "ㄹ," "-ㄹ까 하다" is used.

b) If the stem ends in a consonant other than "ㄹ," "-을까 하다" is used.

1 가: 한국에 가면 어디에 묵을 거예요?

　나: 서울호텔에서 묵을까 해요.

2 가: 이번 여행은 어디로 갈 생각이에요?

　나: 처음에는 제주도로 갈까 했는데 급한 일이 생겨서 취소했어요.

3 가: 내일 저녁은 서울식당으로 예약할까 하는데 어때요?

　나: 좋아요.

4 가: 이번 모임에는 어떤 음식을 준비할 거예요?

　나: 불고기를 만들까 해요.

◉— 연습 1(Practice 1)

Complete each dialog by using "-(으)ㄹ까 하다."

1 가: 서울에서 얼마 동안 머물 계획이에요?

　나: _____.

2 가: 주말에 _____ 같이 갈래요?

　나: 네, 좋아요. 저도 한번 가 보고 싶었어요.

3 가: 오늘 저녁에 뭐 할 거예요?

　나: _____.

4 가: 고향에 언제 갈 거예요?

　나: _____.

⊙— 연습 2 (Practice 2)

Using "–(으)ㄹ까 하다," talk with your partner about travel plans.

1 가는 방법: 무엇을 타고, 어떻게 가려고 해요?

2 같이 가는 사람: 누구하고 가려고 해요?

3 숙소: 어디에서 묵으려고 해요?

4 음식: 어디에서, 무슨 음식을 먹으려고 해요?

4 아무 (이)나

"아무 (이)나" is used in the following form: "아무+noun+(이)나." It is used to express that whatever the noun is, it does not affect the overall affirmative meaning of an affirmative sentence. It is also used in negative sentences to point out the negative meaning of the specified noun.

"아무 (이)나" is usually used in the following forms for persons, objects, times and places.

| 사람 (person) | ➡ | 아무나 | 사물 (object) | ➡ | 아무 것이나, 아무거나 |
| 시간 (times) | ➡ | 아무 때나 | 장소 (place) | ➡ | 아무 데나, 아무 곳이나 |

"아무 (이)나" is also often used with auxiliary words such as "에서," "한테" and "(으)로."

1 가: 어느 호텔로 예약할까요?

  나: 저는 아무 곳이나 괜찮으니까 민정 씨가 좋은 곳으로 하세요.

2 가: 서울식당으로 예약했는데 한국 음식을 좋아하실지 모르겠어요.

  나: 전 아무거나 잘 먹으니까 신경 쓰지 않으셔도 돼요.

3 가: 여행 중에는 배탈이 날 수도 있으니까 아무거나 드시면 안 됩니다.

  나: 네, 알겠습니다.

4 가: 체크인은 아무 때나 하면 되나요?

  나: 죄송하지만 체크인은 오후 2시부터 가능합니다.

◉— 연습 (Practice)

Complete each dialog by using "아무 (이)나."

1 가: 호텔에 예약을 하려면 몇 시까지 전화를 해야 돼요?

　나: 호텔에는 _____.

2 가: 어느 식당으로 예약할까요?

　나: 지금은 시간이 없으니까 _____.

3 가: 보통 누구하고 같이 여행을 가요?

　나: 산을 좋아하는 사람이라면 저는 _____.

4 가: 여기 있는 것은 아무거나 다 먹어도 돼요?

　나: 네, _____.

>>> **대화 연습** Conversation Drill

The following conversation is about making hotel reservations. Practice the conversation with a partner and then do it again using the information below.

- 예약일: 3월 25일 ~ 27일
- 인원: 1명
- 원하는 방: 싱글룸, 금연룸, 조식 포함 15만 원 정도

직원　안녕하세요. 한국호텔입니다.

손님　저, 3월 25일부터 27일까지 싱글룸을 예약하려고 하는데요.

직원　3월 25일부터 2박이십니까?

손님　네, 그렇습니다. 하루에 얼마입니까?

직원　1박에 12만 원이고, 거기에 세금과 봉사료가 10%씩 추가됩니다.

손님　조식이 포함된 가격입니까?

직원　네, 조식이 포함된 가격입니다.

손님　그럼 예약해 주시기 바랍니다. 그리고 금연룸으로 부탁 드리겠습니다.

직원　네, 알겠습니다.

1 • 예약일: 이번 주 수요일부터 금요일까지
   • 인원: 2명
   • 원하는 방: 트윈룸, 아침 · 저녁식사 포함, 가격 상관없음

2 • 예약일: 12월 15일 ~ 12월 18일
   • 인원: 1명
   • 원하는 방: 온돌방, 흡연룸, 조식 포함 20만 원 정도

>>> **과제** Tasks

 듣기 Listening　　　　　　　　　　　　　　　🔊Track **13**

Listen to a conversation at a restaurant and fill out the reservation sheet.

예약표

1) 날짜 :
2) 인원 :　　　　명
3) 금연석 (　　　) 흡연석 (　　　)
4) 메뉴 :
5) 예약자 :

말하기 Speaking

The following is a travel package at a hotel. Practice making and receiving a reservation by role-playing as a customer and a hotel manager.

1. Which travel package would you choose if you were to book the hotel during a school break or vacation? Think of questions you would ask about the package.

2. If you were a hotel manager, how would you introduce the package? Think about what you would say.

3. Make and receive a reservation by role-playing as a customer and a hotel manager.

비즈니스 고객을 위한 알뜰 패키지

★ 싱글룸 1박 15만 원 ★

- 조식 및 세금, 봉사료 포함
- 인터넷 무료 이용
- 트윈룸, 더블룸 예약 시 5만 원 추가

미식가를 위한 특별 패키지

★ 더블룸/트윈룸 1박+2식 25만 원 ★

- 조식: 오전 6시부터 11시까지 뷔페
- 석식: 한정식
- 세금, 봉사료 별도
- 오후 8시까지 체크아웃 연장 가능

 읽기 Reading

1 The following is an advertisement for a travel package at a hotel. Read it carefully and circle **T**(True) or **F**(False).

한국호텔

새해가 시작되는 지금, 한국호텔에서 따뜻하고
편안한 휴식과 함께 새해 계획을 세우시기 바랍니다.

1박 150,000원, 2박 250,000원 (세금, 봉사료 포함)

- 바다가 보이는 객실
- 2인 조식 뷔페
- 실내 수영장, 사우나 50% 할인

※ 본 패키지는 12월 20일부터 1월 31일까지 이용하실 수 있습니다.

1) 이 호텔에서 이틀을 자면 250,000원만 내면 된다.   **T**   **F**

2) 이 호텔의 숙박비에는 조식이 포함되어 있다.   **T**   **F**

3) 이 호텔에서 자면 실내 수영장을 무료로 이용할 수 있다.   **T**   **F**

4) 이 상품은 1월에만 이용할 수 있다.   **T**   **F**

2   The following passage is about reservations and cancellations. Read it carefully and circle **T** (True) or **F** (False).

> 몇 년 전까지만 하더라도 한국에서는 전화 한 통으로 아무 때나 예약을 취소하거나 변경할 수 있었다. 물론 위약금을 내거나 다음 예약 시에 불이익을 당하는 일도 없었다. 그렇지만 요즘은 한국에서도 예약을 취소하면 돈을 손해 보거나 다음에 다시 예약하기가 어려워지는 곳이 많아지고 있다.
>
> 특히 펜션이나 예약제로 운영되는 식당은 예약을 미리 취소하더라도 날짜에 따라 혹은 펜션이나 식당의 상황에 따라 위약금의 액수가 달라지기 때문에 예약하기 전에 취소 방법 및 위약금에 대해서 알아두는 것이 좋다. 그리고 보통의 식당에서는 예약한 지 30분이 지나도 손님이 안 오면 예약이 자동으로 취소되기 때문에 예약한 시간보다 늦어질 경우에는 미리 전화를 걸어 예약 시간을 변경해야 한다.
>
> 이것은 예약한 사람이 손해를 줄이는 방법이기도 하다. 또한 이렇게 하면 다른 사람이 불필요하게 기다리거나 주인이 손해를 보는 일도 줄일 수 있다.

1) 한국에서는 전화 한 통이면 언제든지 예약을 취소할 수 있다.   **T**   **F**

2) 펜션은 예약을 했다가 취소하면 예약금을 모두 돌려받지 못한다.   **T**   **F**

3) 보통의 식당은 예약한 시간보다 30분 이상 늦게 가면 이용하기 어렵다.   **T**   **F**

4) 예약 취소 위약금은 취소한 날짜에 따라 다르다.   **T**   **F**

쓰기 Writing

Su-mi Kim(김수미) is planning to travel to your hometown and posted a question on the Internet about accommodations. Where would you recommend for her to stay and why? Explain to her how to find good accommodations.

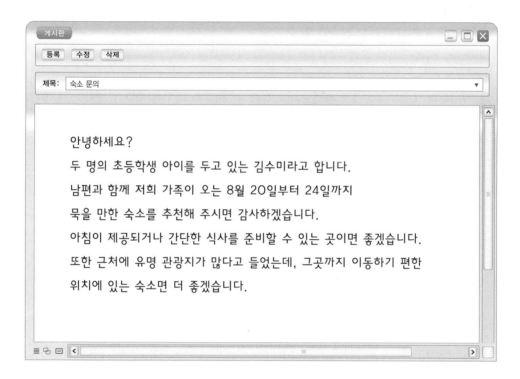

안녕하세요?

두 명의 초등학생 아이를 두고 있는 김수미라고 합니다.

남편과 함께 저희 가족이 오는 8월 20일부터 24일까지

묵을 만한 숙소를 추천해 주시면 감사하겠습니다.

아침이 제공되거나 간단한 식사를 준비할 수 있는 곳이면 좋겠습니다.

또한 근처에 유명 관광지가 많다고 들었는데, 그곳까지 이동하기 편한

위치에 있는 숙소면 더 좋겠습니다.

1. Write the place that you would like to recommend.

2. Write why you would like to recommend that place and what its advantages are.

3. Write how someone could make a reservation at that place. Also, write any other information that someone should know before staying there.

4. Write a recommendation for accommodations using the information you have prepared. As you begin, express why you are writing this recommendation and end by wishing the reader a good trip.

New Words & Expressions 2

객실 room

당하다 to suffer, to undergo

머물다 to stay over, to lodge at

배탈이 나다 to have a stomachache

본 main, chief, principle

불이익 disadvantage, handicap

뷔페 buffet

석식 dinner

손해 damage, injury, harm

알뜰하다 to be frugal/prudent (with money)

액수 sum, amount

예약이 차다 to be booked up

위약금 penalty (for a breach of contract)

자동으로 automatically

조식 breakfast

지역 번호 area code

체크인 check-in

패키지 package (deal)

편안하다 to be at ease, to be comfortable

한자어 word written in Chinese characters

환불 refund, repayment

다들 everyone

돌려받다 to get/receive back

미식가 gourmet

별도 separate (way, use)

봉사료 service charge/fee

불필요하다 to be unnecessary/needless

사우나 sauna

세금 tax

싱글룸 single room

알아두다 to know

연장 extension, prolongation

예약제 subscription basis

운영되다 to be operated/managed

이동 movement, transfer

제공되다 to be offered

줄이다 to reduce, to decrease, to lessen

체크아웃 check-out (of a hotel)

추가되다 to be added

펜션 pension

포함되다 to be included

할인 discount

휴식 rest, break

>>> Accommodations in Korea

- What kind of accommodations can you find in your country? The following are pictures of accommodations in Korea. How is each type of accommodations different and what are their characteristics?

- The following passage is about accommodations in Korea. Read it carefully and find out the various types of accommodations in Korea as well as the characteristics of each one.

It is useful to have information about Korean accommodations such as hotels, guesthouses and pensions so that when traveling through Korea, you can choose the appropriate lodging.

The most noticeable characteristic of Korean accommodations is the increase in pension-type lodgings. Due to the enforcement of the five-day work week, the number of families who travel has increased, and as a result, many pensions have been built. These pensions come with a kitchen as well as a great view and are located away from other lodgings. The best part of a pension is that it is located in a quiet, secluded spot so that you can enjoy your vacation without being disturbed by others.

Hotels are the most expensive and well-equipped accommodations in Korea. The various types of hotels in Korea are rated depending on size and facilities by using the rose of Sharon. The best hotels are given 5 roses of Sharon and the cheapest and smallest hotels are given one rose of Sharon. The advantages of hotels are that the service and amenities are great. However, the disadvantages are that hotels are expensive and it is difficult to find them outside of large cities.

Guesthouses are inexpensive, small-scale accommodations within family homes located in tourist areas or in farming and fishing villages. The advantage of a guesthouse is that you can experience Korean family life, but a disadvantage is the inconvenience of sharing the bathroom and kitchen. However, recently in many tourist areas and easily accessible farming and fishing villages, the number of inexpensive guesthouses with various amenities has been increasing. As a result, the pensions are attracting many thrifty travelers.

- Like the passage above, try to explain the accommodations you have in your home country.

>>> 자기 평가 Self-Assessment

Do you have a full understanding of what you have studied in this chapter? Assess your Korean using the table below and review the chapter again if necessary.

Assessment Items	Scale		
I can make a hotel reservation over the phone.	Excellent	Good	Poor
I can make a restaurant reservation over the phone.	Excellent	Good	Poor
I can read an advertisement and understand the features of different travel packages.	Excellent	Good	Poor

14 | Korea's Pop Culture
한국의 대중문화

▶ 학습 목표 Learning Objectives

Tasks 1. Listening to a conversation about favorite Korean pop music
2. Talking about favorite Korean dramas and pop music
3. Reading a passage about a movie and a passage about the changes in Korean dramas
4. Writing about a favorite Korean drama or movie

Vocabulary & Expressions Trend & taste, celebrity, dramas & movies, music
Grammar –다 (written form: declarative sentence ending form)
Culture *Hallyu* (the Korean wave)

>>> 들어가기 Warm-up

- 이 사람들은 지금 무엇을 보고 있는 것 같습니까?
- 여러분은 한국의 드라마나 영화 그리고 대중가요를 좋아하는 편입니까? 어떤 것을 좋아합니까? 왜 그것을 좋아합니까?

1 Two students are sitting at a school lounge having a conversation.

흐엉   가혜야, 혹시 '궁'이라는 한국 드라마 본 적 있어?

가혜   응, 난 너무 재미있어서 두 번이나 봤어. 근데 그건 왜?

흐엉   요즘 그걸 보고 있는데 결말이 궁금해서. 남자 주인공하고 여자 주인공하고 나중에 어떻게 돼?

가혜   해피엔딩이야. 남자하고 여자가 다시 만나는 장면에서 끝나. 그런데 흐엉, 너도 한국 드라마 좋아했어?

흐엉   요즘 한국 드라마에 완전히 빠졌어. 특히 '궁'은 주인공들이 연기도 잘하고 내용도 낭만적이라서 아주 재미있어.

가혜   그렇구나. 그럼 우리 앞으로 재미있는 한국 드라마가 있으면 같이 보면 되겠다.

2 Two people are talking about Korea's pop culture.

리 사   (남자의 어깨를 살짝 치며) 타나카 씨, 지금 뭐 하고 있어요? 아까부터 계속 불렀는데도 듣지도 못하고.

타나카   미안해요. 음악 소리 때문에 못 들었어요. 리사 씨도 한국 가요 좋아하죠?

리 사   물론이죠. 타나카 씨는 어떤 가수가 제일 좋아요?

타나카   저는 댄스 가수들이라면 다 좋아해요. 노래도 신나고, 리듬에 따라 춤추는 것도 재미있는 것 같아요.

리 사   저도 댄스곡을 좋아해요. 참, 그건 그렇고 시간 있으면 이따가 '한국 드라마의 밤' 행사에 안 가 볼래요?

타나카   그게 어떤 행사인데요?

리 사   요즘 한국에서 인기 있는 드라마도 볼 수 있고, 한국 연예인에 대한 자료들도 많이 있대요.

타나카   그래요? 그러면 저도 같이 가요.

드라마 drama, soap opera	결말 ending	주인공 main character
나중에 later on	해피엔딩 happy ending	장면 scene
–에 빠지다 to be into	연기 acting	내용 content
낭만적이다 to be romantic	앞으로 from now on	음악 music
가수 singer	노래 song	리듬 rhythm
그건 그렇고 anyway	행사 event	연예인 celebrity
자료 data		

>>> ## 어휘 및 표현 Vocabulary & Expressions

1 유행 · 취향 Trend & taste

유행하다 to be in fashion 인기가 있다/없다 to (not) be famous

유행을 따르다 to follow trends 유행에 민감하다 to be sensitive to trends

유행이 지나다 to be old-fashioned 취향에 맞다 to be fond of something

새롭다 to be new 구식이다 to be out-of-date

⊙— 연습 (Practice)

Fill in each blank with an appropriate word or expression from the box. Change the form if necessary.

유행하다	인기가 있다	유행이 지나다
취향에 맞다	구식이다	유행을 따르다

1 요즘 젊은이들은 유행에 민감해서 _____ 옷은 안 입는대요.

2 무조건 _____ 것보다는 개성을 표현하는 게 좋은 것 같아요.

3 이 가방은 오래된 것 같아요. 디자인이 _____.

4 사람마다 좋아하는 게 다르니까 자신의 _____ 걸 고르세요.

2 연예인 Celebrity

영화배우 movie star   가수 singer
코미디언 comedian   탤런트 actor, talent
아이돌 스타 idol   팬 fan

3 드라마 · 영화 Dramas & movies

일일/주말 드라마 soap opera, drama   사극 historical drama
멜로드라마 melodrama   공포영화 horror movie
코미디 영화 comedy   액션 영화 action movie
주인공 main character   스토리 plot
내용이 재미있다 (plot) to be interesting   연기를 잘하다 to act well
감동적이다 to be touched   낭만적이다 to be romantic

◉— 연습 (Practice)

Fill in each blank with an appropriate word or expression from the box. Change
the form if necessary.

탤런트	가수	스토리
코미디 영화	연기를 잘하다	낭만적이다

1 저 _____의 노래를 듣고 있으면 나도 모르게 눈물이 나요.

2 저는 영화를 좋아해요. 그 중에서 _____이/가 제일 좋아요.

3 요즘은 얼굴도 예쁘고 _____ 배우들이 아주 많아요.

4 _____ 사랑 이야기를 좋아하는 사람들이 많은 것 같아요.

4 노래 Music

대중가요 popular music

댄스 가요 dance music

가사 lyrics

경쾌하다 to be rhythmical

곡이 좋다 to have a good melody

발라드 ballade

트로트 trot

멜로디 tune

신나다 to be very excited

가창력이 뛰어나다 to sing really well

⊙— 연습 (Practice)

Fill in each blank with an appropriate word or expression from the box. Change the form if necessary.

대중가요	트로트	가사
멜로디	경쾌하다	가창력이 뛰어나다

1 요즘 유행하는 댄스 가요는 너무 빨라서 ＿＿＿＿＿＿＿을/를 이해하기 힘들어요.

2 이 노래의 ＿＿＿＿＿＿＿은/는 어디서 많이 들어 본 것 같아요. 쉽게 따라 할 수 있어요.

3 요즘 젊은이들은 빠르고 ＿＿＿＿＿＿＿ 곡을 좋아하는 것 같아요.

4 저 가수는 정말 ＿＿＿＿＿＿＿＿＿. 저렇게 노래를 잘 부르는 가수는 드물어요.

5 유용한 표현 Useful Expressions

주인공의 연기력이 정말 뛰어난 것 같아요. The main character's acting is excellent.

남자와 여자가 재회하는 장면이 아주 인상적이었어요.

The scene in which the man and the woman get back together was very memorable.

벌써부터 다음 이야기가 기다려져요. I cannot wait for the next episode.

여자 주인공의 표정을 잊을 수가 없어요.

I cannot forget the female character's facial expression.

너무 재미있어서 화면에서 눈을 뗄 수 없었어요.

I couldn't take my eyes off the screen because it was so interesting.

멜로디가 익숙해서 따라 부르기도 쉬워요. The melody is easy to sing along to.

곡도 좋지만 가사가 너무 아름다워요.

The melody is good and the lyrics are so beautiful.

⊙― 연습 (Practice)

Complete the following dialog by choosing the appropriate sentence for each blank.

> 가: 어제 '겨울 연가' 봤어요?
>
> 나: 그럼요. 남자가 여자를 몰라볼 때는 너무 슬퍼서 저도 같이 울었어요.
>
>   그런데 거기 주인공들의 1 _____
>
> 가: 네, 두 사람 모두 연기를 정말 잘해요.
>
>   남자 주인공이 눈물을 흘리는 장면은 2 _____
>
> 나: 맞아요. 어제는 정말 화면에서 3 _____
>
> 가: 벌써부터 다음 이야기가 기다려져요.

1 ① 얼굴이 너무 잘생겼어요.   ② 연기력이 정말 뛰어난 것 같아요.

2 ① 잊을 수가 없을 것 같아요.   ② 인상적인 표정이에요.

3 ① 눈을 뗄 수가 없었어요.   ② 낭만적인 사랑 이야기가 좋아요.

>>> **문법** Grammar

―다 (Written Form: Declarative Sentence Ending Form)

The endings of spoken and written Korean are different. In the cases of declarative sentences, "―아/어/여(요)" or "―ㅂ/습니다" is used when speaking but "―다" is used when writing.

1 외국 사람들도 한국 드라마를 즐겨 본다.

2 한국 드라마의 인기가 아주 많다.

3 '대장금'은 대표적인 한국 드라마이다.

Declarative endings for written Korean always end with "―다," although they may differ depending on a predicate's part of speech or tense. Since there is often no specific audience when writing, "나/우리" should be used instead of lowering one's status by using "저/저희."

1 The Present Tense

The present tense for declarative endings for written Korean is different depending on the part of speech.

1) For verbs, a) if the stem ends in a vowel or "ㄹ," "–ㄴ다" is used.

        b) if the stem ends in a consonant other than "ㄹ," "–는다" is used.

2) "–다" is attached to the stem of an adjective or the "noun–이다" form.

※ When "않다" is attached to a verb, it is conjugated as a verb and when it is attached to an adjective, it is conjugated as an adjective.

  e.g.) 나는 드라마를 좋아하지 않는다. / 저 드라마는 슬프지 않다.

※ Please note that "싶다" and "좋다" are adjectives.

  e.g.) 저 가수를 만나고 싶다. / 나는 저 가수가 좋다.

    1 요즘 젊은이들은 조용한 노래보다 신나는 노래를 많이 **듣는다**.

    2 요즘은 낭만적인 사랑 이야기보다 따뜻한 가족 이야기가 더 인기가 **좋다**.

    3 내 친구는 한국 드라마를 볼 때마다 **운다**.

    4 유행을 무조건 따르는 것보다 자신의 개성을 표현하는 게 **중요하다**.

    5 사람들마다 취향이 달라서 좋아하는 음악도 모두 **다르다**.

    6 이민수 씨의 꿈은 **가수이다**. 그래서 시간만 있으면 춤과 노래를 **연습한다**.

⊙— 연습 1 (Practice 1)

Change the endings of the following sentences into written Korean by using "–ㄴ/는다."

    1 나는 매일 한국 드라마를 봅니다.

    ➡ _____.

    2 영주 씨는 항상 주희 씨와 밥을 먹습니다.

    ➡ _____.

    3 어머니가 부엌에서 요리를 만듭니다.

    ➡ _____.

    4 저 사람은 책을 잘 읽지 않습니다.

    ➡ _____.

    5 오늘은 어제보다 조금 더 춥습니다.

    ➡ _____.

6 오늘은 월요일입니다.

➜ _____ .

⊙— 연습 2 (Practice 2)

Which Korean music do you like? Why do you like it? Using "–ㄴ/는다," write at least four sentences introducing the Korean music you like most as shown in the example.

> **Ex.**
>
> 나는 한국 가요 중에서 발라드를 좋아한다. 가사가 아름다운 곡이 많다. 그리고 멜로디가 익숙해서 따라 부르기도 쉽다. 그래서 한국 발라드를 자주 듣는다.

2 The Past Tense

The past tense in declarative endings for written Korean is expressed by attaching "–았/었/였다" to the stem of a verb, adjective and the "noun–이다" form.
a) If the stem ends in a vowel "ㅏ" (excluding '하다') or "ㅗ," "–았다" is used.
b) If the stem ends in any vowel other than "ㅏ" or "ㅗ," "–었다" is used.
c) For "하다," "–였다" is used: however, it is often contracted to "했다."

1 배용준은 '겨울 연가'에 출연한 후 아시아 각국에서 많은 상을 받았다.
2 한국의 드라마나 영화를 좋아하는 사람이 전보다 많이 늘었다.
3 해외의 팬이 많아지면서 한국 가수들도 해외 공연을 많이 했다.
4 드라마 속의 한국 배우들은 정말 멋있었다.
5 한류 열풍이 시작된 것은 1990년대 후반이었다.
6 보아가 가수가 된 것은 13살 때였다.

⊙— 연습 1 (Practice 1)

Change the endings of the following sentences into written Korean by using "–았/었/였다."

1 저희는 모두 빨간색 옷을 입었습니다.

➜ _____ .

2 한국 가수들을 만나러 많은 사람들이 놀러 왔습니다.

➜ _____ .

3 저는 한국 연예인을 만나 보고 싶었습니다.

　➡ _____.

4 주인공의 연기가 정말 대단했습니다.

　➡ _____.

5 제 옷은 너무 촌스러웠습니다.

　➡ _____.

6 지난 겨울에는 짧은 치마가 유행이었습니다.

　➡ _____.

⊙— 연습 2(Practice 2)

Which Korean drama do you like? Using "–았/었/였다," write at least four sentences introducing its title, main characters and plot as shown in the example.

> **Ex.**
>
> 나는 한국 드라마 중에서 '꽃보다 남자'를 제일 좋아한다. 이 드라마는 일본과 대만에서도 만들어졌는데, 한국의 남자 주인공들이 가장 멋있었다. 여자 주인공의 연기도 정말 대단했다. 마지막에 해피엔딩으로 끝나서 정말 기뻤다.

3 The Future Tense · Conjecture

The future tense or conjecture in declarative endings for written Korean is expressed by attaching "–겠다" or "–(으)ㄹ 것이다" to the stem.

1) –겠다

a) "–겠다" is attached to the stem of a verb, adjective or the "noun–이다" form to signify the future tense or conjecture.

b) "–았/었/였겠다" is attached to the stem of a verb, adjective or the "noun–이다" form to express the conjecture of an action completed in the past.

2) –(으)ㄹ 것이다

a) "–(으)ㄹ 것이다" is attached to the stem of a verb, adjective or the "noun–이다" form to signify the future tense or conjecture.

b) "–았/었/였을 것이다" is attached to the stem of a verb, adjective or the "noun–이다" form to express conjecture of an action completed in the past.

1 좋은 드라마를 만들기 위해 최선을 다할 것이다.

2 해외 공연이 많아서 한국 연예인들은 앞으로도 많이 바쁠 것이다.

3 한국 드라마의 인기가 많아지면 한국의 이미지도 좋아지겠다.

4 많은 사람들이 그 공연을 봤을 것이다.

5 이 영화는 다른 나라에서도 인기가 많겠다.

6 최근 외국 관광객들이 가장 많이 찾아간 곳은 남이섬일 것이다.

연습 1 (Practice 1)

Change the endings of the following sentences into written Korean by using "–겠다" or "–(으)ㄹ 것이다."

1 한국 드라마를 보기 위해 열심히 한국어를 공부할 것입니다.

➔ _____.

2 사람들이 한국 영화보다는 드라마를 더 좋아하겠습니다.

➔ _____.

3 따라 부르기 쉬운 노래가 인기가 많을 것입니다.

➔ _____.

4 저렇게 옷을 입으면 많이 불편하겠습니다.

➔ _____.

5 이 가수의 노래는 인기가 많았겠습니다.

➔ _____.

6 짧은 치마는 내년에도 계속 유행일 것입니다.

➔ _____.

연습 2 (Practice 2)

Is there any singer or actor you like? How much do you know about him/her? Using "–(으)ㄹ 것이다" or "–겠다," write at least four sentences of conjecture about your favorite celebrity as shown in the example.

Ex.

○○○은/는 올해 최고의 가수가 될 것이다.

○○○은/는 팬이 정말 많겠다.

○○○은/는 연말에 상을 많이 받아서 기뻤을 것이다.

○○○○이/가 부른 노래는 다른 나라에서도 인기가 많겠다.

Two friends are talking about Korean pop culture. Practice the conversation with a partner and then do it again using the information below.

- 이름: 필리타
- 좋아하는 한국 드라마: 선덕여왕
- 이유: 배우들이 연기를 정말 잘한다.
  주인공이 자신의 노력으로 왕이 된다는 내용이 감동적이다.

필리타 나 요즘 '선덕여왕'이라는 한국 드라마를 보고 있는데 정말 재미있어. 너도 '선덕여왕' 본 적 있니?

바타르 아니, 나는 아직 한 번도 안 봤어. 그런데 뭐가 그렇게 재미있어?

필리타 우선 거기 나오는 배우들이 연기를 정말 잘해. 그리고 주인공이 자신의 노력으로 왕이 된다는 내용이 너무 감동적이야.

바타르 그렇구나. 나중에 나도 시간 되면 한번 봐야겠다.

필리타 너도 분명히 좋아할 거야.

1 ◎ 이름: 아사코
  ◎ 좋아하는 한국 드라마: 대장금
  ◎ 이유: 배우들이 연기를 잘한다.
    열심히 노력하면 꿈을 이룰 수 있다는 내용이 마음에 든다.

2 ◎ 이름: 켄
   ◎ 좋아하는 한국 가수: 빅뱅
   ◎ 이유: 가창력이 뛰어나다.
        힘 있는 춤과 특이한 의상이 정말 멋있다.

>>> **과제** Tasks

 듣기 Listening

◀Track 14

Listen to the conversation and answer the questions.

1. What kind of music does the man like?

   ① 가창력이 뛰어난 가수의 조용하고 부드러운 노래
   ② 힘 있는 춤과 가창력이 뛰어난 가수의 노래

2. What is the reason the woman does NOT like this group's music?

   ① 듣고 있으면 편하지가 않기 때문에
   ② 춤에 비해 노래 실력이 떨어지기 때문에

말하기 Speaking

Do you like Korean dramas and music? Which one do you like and why?
Discuss the Korean pop culture you like with a partner.

1. Write about the Korean dramas and music you like.

좋아하는 드라마	
이유	
좋아하는 가요	
이유	

2. Discuss Korean pop culture with your classmates using the information you
   prepared.

 읽기 Reading

1 The following is an article on a newly released Korean movie. Read it
   carefully and answer the questions.

봉준호 감독의 〈괴물〉
드디어 개봉

봉준호 감독의 〈괴물〉이 7월 21일 드디어 개봉된
다. 송강호, 변희봉, 박해일, 배두나, 고아성 등이 출
연한 〈괴물〉은 한강에 정체불명의 괴물이 출현하면
서 시작된다. 한강 근처에서 작은 가게를 운영하는
박강두(송강호)는 한강에 나타난 괴물을 피해서 도망
가다가 딸 현서(고아성)의 손을 놓치고 만다. 괴물에게 끌려가서 죽었을 거라고
생각했던 딸의 전화를 받으면서 딸을 구하려는 가족의 노력이 시작되는데…….

영화 〈괴물〉은 괴물이 등장하는 장면의 거대한 규모와 통쾌한 액션이 뉴스에
소개되면서 영화 팬의 시선을 사로잡았지만 〈괴물〉의 매력은 이것뿐이 아니다.
따뜻한 가족애와 쉴 새 없이 이어지는 유머! 그리고 배우들의 뛰어난 연기력까
지. 즐거운 웃음과 가족의 사랑, 그리고 신나는 액션 모두를 영화 〈괴물〉 한 편
으로 만끽해 보자.

1. Choose the information that is NOT mentioned in the article.

① 영화의 제목
② 영화의 장르
③ 영화의 내용
④ 영화에 출연한 배우

2. Discuss the movie's characteristics.

2 The following passage describes the changes in Korean dramas. Read it carefully and answer the questions.

최근 아시아에서는 밝고 경쾌한 감정을 잘 살린 한국 드라마가 인기를 끌고 있다. 2000년대 초반에 폭발적인 인기를 얻었던 〈겨울 연가〉나 〈가을 동화〉의 변하지 않는 아름답고 슬픈 사랑 이야기와는 그 내용이 크게 달라졌다. 〈내 이름은 김삼순〉, 〈풀하우스〉, 〈궁〉에는 더 이상 사랑 때문에 울고 웃는 여성이 아니라 자신의 꿈을 이루기 위해서 최선을 다하는 여성들이 주인공으로 등장한다. 그리고 이 여성들은 사랑 표현에도 소극적이지 않다. 자신의 세계를 사랑하고 자신을 꾸미고 표현하는 데도 노력을 아끼지 않는 적극적인 여성이 등장한 것이다.

그런데 이렇게 새로운 성격의 여자 주인공은 현대극뿐만 아니라 사극에서도 나타난다. 과거의 사극에서 여성은 주변 인물인 경우가 많았고 주인공이 된다고 하더라도 나쁜 일을 계획하고 돕는 부정적인 역할을 하는 경우가 많았으나, 〈대장금〉, 〈주몽〉, 〈선덕여왕〉의 여주인공은 적극적이고 독립적이며 자신의 영역에서 최선을 다하는 인물로 등장한다.

1. What were the characteristics of the women in Korean dramas aired in the early 2000s?

2. What are some characteristics of the main female characters in recent popular dramas?

 **쓰기** Writing

Write about Korean dramas or movies that you like.

1. Write the title of the Korean drama or movie that you like.

2. What is it about? Write the plot briefly.

3. Write about the main characters and what roles they played.

4. Write any memorable scenes and reasons why you like the drama or movie.

5. Write a paragraph describing the Korean drama or movie you like using the information above.

New Words & Expressions 2

가족애 family love	감독 director	개봉 release
개성 individuality	거대하다 to be enormous	경쾌하다 to be rhythmical
구하다 to save	꾸미다 to decorate	
끌려가다 to be dragged along forcefully		나도 모르게 without realizing
남이섬 Nami Island (famous for the movie filmed there)		
노력을 아끼지 않다 to put all efforts		놓치다 to lose
눈물을 흘리다 to shed tears	눈물이 나다 to tear up	대단하다 to be amazing
대표적이다 to be representative	도망가다 to escape	독립적이다 to be independent
드물다 to be rare	등장하다 to appear	만끽하다 to fully enjoy
몰라보다 to not recognize	무조건 unconditionally	부드럽다 to be tender
부정적이다 to be negative	사극 historical drama	상을 받다 to be awarded
소극적이다 to be timid	쉴 새 없다 to be ceaseless	
시선을 사로잡다 to draw one's attention		아시아 Asia
알아듣다 to understand	액션 action	언제나 always
역할 role	열풍 craze	영역 territory
유머 humor	―을/를 잘 살리다 to express well	
이어지다 to be continued	인기를 끌다 to gain popularity	
적극적이다 to be assiduous	젊은이 young man	정체불명 unidentified
주변인물 supporting characters	즐겨 보다 to watch with interest	
집중(을) 하다 to concentrate on	초반 the opening part	촌스럽다 to be boorish
출연하다 to appear, to play	출현하다 to appear, to emerge	
취향 taste	통쾌하다 to be very gratifying	
특이하다 to be unique	폭발적이다 to be explosive	표현하다 to express
피하다 to avoid	후반 the latter part	힘 있다 to be powerful

>>> *Hallyu*: The Korean Wave

- Have you heard of *hallyu*? What does it mean? Share what you know with a partner.

- The following passage explains *hallyu*. Read it carefully.

Recently, elements of Korean popular culture such as Korean dramas, movies, music, fashion and food have been gaining incredible popularity in East Asia, including China, Vietnam, Thailand and Japan. The term *hallyu* has become widely used since it was first introduced by the Chinese news media in the late 1990s.

Hallyu experts explain various reasons for the incredible popularity of Korean pop culture. First, the period of time that Korean pop culture was introduced to the Asian public was also the time when Western culture, which until then had played a leading role in cinema and fashion in China and Southeast Asia, had gradually been losing popularity. At that time, people were making a transition from Western culture to that of Asian culture. In addition, Korean pop culture had recreated Western pop culture to suit the situation of Korea, making it less foreign yet possessing a distinct and original cultural factor of its own.

For example, Korean dramas are known to value strong family relationships as well as Confucian beliefs, while maintaining the interest of viewers with dramatic storylines and a lot of emotion. Not only that, many believe that the stylish wardrobes and hairstyles of the main characters also contributed to the popularity of Korean dramas.

- What do you like about Korean pop culture? Why do you like it? Compare and talk about the Korean pop culture that you like and that of your country.

Do you have a full understanding of what you have studied in this chapter? Assess your Korean using the table below and review the chapter again if necessary.

Assessment Items	Scale		
I can listen to and understand conversations about Korean pop culture.	Excellent	Good	Poor
I can speak about Korean pop culture, such as dramas, movies and music that I like.	Excellent	Good	Poor
I can read and write about Korean pop culture.	Excellent	Good	Poor

Lesson 15

Job Interview

면접

학습 목표 Learning Objectives

Tasks 1. Understanding a conversation about a preferred job

2. Having a job interview

3. Reading and understanding a job advertisement and reading a passage about a disliked colleague

4. Writing a personal statement

Vocabulary & Expressions Vocabulary related to getting a job, content of personal statement

Grammar 것 같다, -(으)ㄴ 적이 있다/없다, -(으)ㄹ 줄 알다/모르다, 마다

Culture How to make job interview successful

>>> 들어가기 Warm-up

● 이 사람은 지금 무엇을 하고 있습니까?

● 여러분은 면접을 본 일이 있습니까? 어떤 질문을 받았습니까?

1 Two students are talking about how to write a personal statement.

왕웨이 형, 회사에 지원하기 위해 자기 소개서를 써야 하는데 어떤 내용을 써야 할지 모르겠어요.

민 호 지원 동기하고 입사 후 계획, 특기 같은 걸 쓰면 돼. 성장 배경도 간단히 쓰고.

왕웨이 어떻게 써야 점수를 잘 받을까요? 제가 자기 소개서를 써 본 적이 없어서요.

민 호 네가 그 회사에서 필요로 하는 인재라는 것을 자기 소개서에서 보여 줘야 해.

왕웨이 아, 알겠어요. 고마워요, 형.

민 호 제출할 서류는 다 준비했어?

왕웨이 졸업 증명서랑 성적 증명서도 신청했고, 추천서도 교수님께 부탁 드렸어요. 그런데 그 회사 경쟁률이 높아서 합격하기 힘들 것 같아요. 그래도 최선을 다해 보려고요.

민 호 그래. 행운을 빈다.

2 An applicant is being interviewed at a company.

면접관 우리 회사에 지원한 동기가 무엇입니까?

왕웨이 먼저 저는 한국 기업에서 일하고 싶었습니다. 그리고 이 회사가 직원의 창조적인 업무 능력을 인정해 주는 회사라고 들었습니다. 저는 이 회사에서 저의 능력을 발휘하고 싶어서 지원했습니다.

면접관 자신의 특기나 장점을 말해 보세요.

왕웨이 저는 한국어와 영어를 유창하게 할 줄 압니다. 그리고 성격이 적극적이고 활발해서 사람들과 잘 어울립니다.

면접관 이력서를 보니까 다양한 경험을 한 것 같네요.

왕웨이 작년에는 이 회사에서 인턴사원으로 일했고, 2년 전에는 교환 학생으로 한국에 다녀 왔습니다. 그리고 방학 때마다 아르바이트를 했습니다.

면접관 자격증을 가지고 있습니까?

왕웨이 네, 한국어 6급 자격증과 워드프로세서 자격증이 있습니다.

입사 entering a company   특기 special skill, ability

성장 배경 (one's) background   점수를 잘 받다 to receive a good score

필요로 하다 to require   졸업 증명서 certificate of graduation, diploma

성적 증명서 academic transcript   신청하다 to apply, to petition (for)

추천서 letter of recommendation   경쟁률이 높다 to be competitive

행운을 빌다 to keep one's fingers crossed, to wish good luck

직원 employee   창조적이다 to be creative

인정하다 to recognize, to acknowledge   능력을 발휘하다 to demonstrate one's ability

유창하다 to be fluent   교환학생 exchange student

워드프로세서 word processor

>>> 어휘 및 표현 Vocabulary & Expressions

1 취업 관련 어휘 Vocabulary Related to Getting a Job

모집(하다) to recruit   지원(하다) to apply

서류를 제출하다 to submit documents   면접(을 보다) to have an interview

선발하다 to select, to choose   합격하다 to pass (an exam)

불합격하다 to fail (an exam)   입사하다 to enter a company

◉— 연습 (Practice)

Complete the dialog by filling in each blank with an appropriate word from the box. Change the form if necessary.

모집	면접	지원	제출하다	선발하다	합격하다

가: 신입사원 1 _____ 광고를 보고 전화했습니다. 몇 가지 여쭤보고 싶은 게 있는데요.

나: 네, 말씀하세요.

가: 필요한 서류는 무엇입니까?

나: 입사 지원서와 자기 소개서, 대학 졸업 증명서와 성적 증명서를

2 _____ 됩니다.

가: 합격자는 어떻게 3 _____?

나: 서류 심사와 4 _____으로 결정합니다.

가: 네, 잘 알겠습니다. 감사합니다.

2 자기 소개서 내용 Content of Personal Statement

성장 배경 one's background

경력 work experience/history

성격 personality

단점 disadvantage, weak point

학력 academic background, school career

특기 special ability, talent

장점 advantage, strong point

지원 동기 reason for applying

◉— 연습 (Practice)

Complete each dialog by filling in the blank with an appropriate word from the box.

성장 배경	학력	특기	장점	단점	동기

1 가: _____이/가 있으면 말씀해 보세요.

　나: 태권도가 3단이고, 마술을 조금 할 수 있습니다.

2 가: 우리 회사에 지원한 _____이/가 무엇입니까?

　나: 무역 업무를 배우고 싶어서 지원했습니다.

3 가: 자신의 _____이 뭐라고 생각합니까?

　나: 성실하고 모든 일에 최선을 다하는 자세라고 생각합니다.

4 가: _____이/가 어떻게 됩니까?

　나: 한국고등학교와 한국대학교 경영학과를 졸업했습니다.

3 유용한 표현 Useful Expressions

안녕하십니까? 수험번호 ○○○번 이종수입니다.

How do you do? I am Jong-su Lee, applicant number ○○○.

무역 일을 배우고 싶어서 지원하게 되었습니다.

I applied (for the job) because I am interested in learning about international trade.

대학 때부터 귀사 취업을 목표로 공부했습니다.

Since university, I studied with the goal of entering this company.

이 회사에 지원하기 위해서 정보 처리사 자격증을 땄습니다.

I received my data processing certificate in order to apply for this job.

대학에서 경영학을 전공하고 6개월 간 귀사에서 인턴사원으로 일한 경력이 있습니다.

I majored in business management in university and worked as an intern for six months at this company.

뽑아 주시면 열심히 일하겠습니다.

I will do my best if I'm given the opportunity to work here.

⊙─ 연습 (Practice)

Complete each dialog by choosing the appropriate sentence for the blank.

1 가: _____

   나: 네, 먼저 간단히 자기소개를 해 보세요.

   ① 안녕하십니까? 수험번호 0001번 김민수입니다.

   ② 대학 때부터 귀사 취업을 목표로 공부했습니다.

2 가: 특별히 우리 회사에 지원한 이유가 있습니까?

   나: _____

   ① 돈을 벌기 위해서 회사에 취직하려고 합니다.

   ② 귀사가 이 분야의 최고의 기업이라서 귀사에서 꼭 일하고 싶었습니다.

3 가: 본인이 우리 회사 직원으로서 적합한 이유를 설명해 보세요.

   나: _____

   ① 무역 일을 배우고 싶어서 지원하게 되었습니다.

   ② 저는 대학에서 경영학을 전공하고 6개월 간 귀사에서 인턴사원으로 일한 경력이 있습니다.

4 가: 네, 수고하셨습니다.

　나: ＿＿＿＿＿＿＿＿＿＿＿＿＿＿＿＿ 감사합니다.

　① 이 회사에 지원하기 위해서 정보 처리사 자격증을 땄습니다.

　② 뽑아 주시면 열심히 일하겠습니다.

>>> 문법 Grammar

1 것 같다

When "것 같다" is attached to a verb, adjective, or the "noun−이다" form, it expresses a speculation. Depending on the part of speech or tense of the predicate, the ending that is attached to the predicate changes as follows:

■ The Present Tense

1) "−는 것 같다" is attached to the end of a verb stem.

2) "−(으)ㄴ 것 같다" is attached to the end of an adjective or the "noun−이다" form.

■ The Past · Past Perfect Tense

1) "−(으)ㄴ 것 같다" is attached to the end of a verb stem.

2) "−았/었/였던 것 같다" is attached to the end of an adjective or the "noun−이다" form.

■ The Future Tense

"−(으)ㄹ 것 같다" is attached to the end of a verb, adjective or the "noun−이다" form.

Tense Part of Speech	Present	Past · Past Perfect	Future
Verb	−는 것 같다	−ㄴ 것 같다 −은 것 같다	−ㄹ 것 같다 −을 것 같다
Adjective	−ㄴ 것 같다 −은 것 같다	−았던 것 같다 −었던 것 같다 −였던 것 같다	
"Noun−이다" form			

However, for "있다/없다", "−는 것 같다" is attached to denote the present tense, and "−았/었/였던 것 같다" is attached to denote the past tense.

"것 같다" is also used to express the speaker's opinion or feeling about something passively.

　e.g.) (영화를 보고 나와서) 영화가 재미있는 것 같아요.

　　　(날씨가 춥다고 느끼며) 오늘 좀 추운 것 같아요.

1 가: 지영 씨는 요즘 어떻게 지내요?

　나: 열심히 취직 준비를 하는 것 같아요. 저도 만난 지 오래 되었어요.

2 가: 지난번에 입사 시험 본 것은 결과가 나왔어요?

　나: 떨어진 것 같아요. 지금까지 아무 연락도 없어요.

3 가: 어떤 일을 하고 싶으세요?

　나: 영업 일이 저에게 잘 맞을 것 같아요.

4 가: 이 옷 어때요? 저한테 잘 맞아요?

　나: 좀 큰 것 같은데요.

◉─ 연습 1 (Practice 1)

Complete each dialog by using "것 같다."

1 가: 방금 면접을 보고 나간 사람은 어떤 것 같습니까?

　나: ＿＿＿＿＿＿＿＿＿＿＿＿＿＿＿＿＿＿＿＿＿＿.

2 가: 지난번에 면접 본 회사에서 연락이 왔어요?

　나: 아니요, 아무 연락이 없네요. ＿＿＿＿＿＿＿＿＿＿＿＿＿＿.

3 가: 방에 누가 있어요?

　나: 불이 꺼져 있어요. ＿＿＿＿＿＿＿＿＿＿＿＿＿＿＿＿＿.

4 가: 저 사람 직업이 뭔지 알아요?

　나: 옷 입은 것을 보니까 ＿＿＿＿＿＿＿＿＿＿＿＿＿＿＿＿.

◉─ 연습 2 (Practice 2)

What type of job are you interested in? What do you think it will be like? Talk with your partner about the job that you are interested in by using "것 같다."

2 –(으)ㄴ 적이 있다 / 없다

When "–(으)ㄴ 적이 있다/없다" is attached to a verb stem, it is used to talk about a past experience.

a) If the stem ends in a vowel or "ㄹ," "–ㄴ 적이 있다/없다" is used.

b) If the stem ends in a consonant other than "ㄹ," "–은 적이 있다/없다" is used.

1 가: 아르바이트를 한 적이 있습니까?

　　나: 네, 주유소에서 일한 적이 있습니다.

2 가: 한국에 가 본 적이 있습니까?

　　나: 네, 대학교 3학년 때 6개월 간 어학연수를 다녀온 적이 있습니다.

3 가: 이 책을 읽어 봤어요?

　　나: 아니요, 읽은 적이 없는데 재미있어요?

4 가: 직장이 다른 도시에 있어서 가족들과 떨어져 살게 되겠네요.

　　나: 네. 저는 아직 혼자 산 적이 없어서 좀 걱정이 돼요.

◉— 연습 1(Practice 1)

Complete each dialog by using "-(으)ㄴ 적이 있다/없다."

1 가: 한국 영화를 본 적이 있어요?

　　나: 네, _____.

2 가: 돈을 벌어 본 적이 있어요?

　　나: 네, 아르바이트를 해서 _____.

3 가: 한국 잡지를 읽은 적이 있어요?

　　나: 아니요, _____.

4 가: 기숙사에서 산 적이 있어요?

　　나: 네, _____.

◉— 연습 2(Practice 2)

Talk with your partner about the following experiences by using "-(으)ㄴ 적이 있다/없다."

1 아르바이트를 하다
2 유명한 사람을 만나다
3 혼자 살다
4 친구나 애인에게 바람을 맞다

3 –(으)ㄹ 줄 알다/모르다

When "–(으)ㄹ 줄 알다/모르다" is attached to a verb stem, it is used to express whether the subject knows how to do something or to express if he/she has ability to do or not.
a) If the stem ends in a vowel or "ㄹ," "–ㄹ 줄 알다/모르다" is used.
b) If the stem ends in a consonant other than "ㄹ," "–을 줄 알다/모르다" is used.

1 가: 어느 나라 말을 할 줄 아세요?
　나: 한국어와 영어를 조금 할 줄 압니다.

2 가: 한국 음식 중 만들 줄 아는 것이 있습니까?
　나: 불고기와 파전을 만들 줄 압니다.

3 가: 이 한자가 무슨 글자예요?
　나: 전 한자를 읽을 줄 모르는데요.

4 가: 피에르 씨, 우리 회사에 입사한 것을 축하합니다.
　나: 감사합니다. 할 줄 아는 것이 없으니까 많이 가르쳐 주시기 바랍니다.

◉— 연습 1 (Practice 1)

Complete each dialog by using "–(으)ㄹ 줄 알다/모르다."

1 가: 한국어를 잘 하세요?
　나: 네, _____.

2 가: 컴퓨터가 고장이 났어요.
　나: 그래요? 제가 _____ 한번 고쳐 볼게요.

3 가: 특별히 가지고 있는 기술이 있으면 이야기해 보세요.
　나: _____.

4 가: _____.
　나: 그러면 선배들에게 도움을 받아서 해 보세요.

⊙— 연습 2(Practice 2)

What can your partner do and cannot do? Find out two things for each by using
"–(으)ㄹ 줄 알다/모르다."

할 줄 아는 것	할 줄 모르는 것

4 마다

When "마다" is attached to a noun, it is used to show an action repeats every time.

1 가: 회의가 언제 있습니까?

　나: 수요일마다 있습니다.

2 가: 인턴사원으로 일하면서 뭐가 제일 힘들었어요?

　나: 아침마다 일찍 일어나야 하는 게 제일 힘들었어요.

3 가: 이 약은 하루에 몇 번 먹어요?

　나: 여섯 시간마다 드세요.

4 가: 요즘은 시내에 갈 때마다 길이 막혀요.

　나: 그래서 늦지 않으려면 좀 일찍 출발해야 돼요.

⊙— 연습 1(Practice 1)

Complete each dialog by using "마다."

1 가: 봉사 활동을 자주 합니까?

　나: _____.

2 가: 공부 모임이 언제 있어요?

　나: _____.

3 가: 인터넷을 자주 해요?

　나: _____.

4 가: 운동을 자주 해요?

　나: _____.

⊙— 연습 2 (Practice 2)

Is there anything that you do regularly? Talk with your partner about your regular activities by using the time phrases below.

1 날마다
2 주말마다
3 방학 때마다
4 시간이 있을 때마다

The following is a job interview. Practice the conversation with a partner and then do it again using the information below.

지원 동기	무역 업무를 배우고 싶다.
특기	한국어와 영어를 잘한다.
경력	방학 때마다 아르바이트를 했다. 이 회사에서 인턴사원으로 일했다.
자격증	정보 처리사 자격증

면접관 우리 회사에 지원한 동기가 무엇입니까?

지원자 무역 업무를 배울 수 있는 곳인 것 같아서 지원을 했습니다.

면접관 특기가 있으면 한번 말해 보세요.

지원자 영어와 한국어를 할 줄 압니다.

면접관 이력서를 보니까 다양한 경험을 한 것 같은데요.

지원자 네, 방학 때마다 아르바이트도 하고 이 회사에서 인턴사원으로 일한 적도 있습니다.

면접관 자격증을 가지고 있습니까?

지원자 네, 정보 처리사 자격증이 있습니다.

1
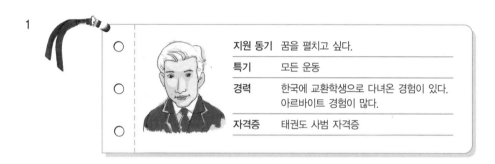

지원 동기	꿈을 펼치고 싶다.
특기	모든 운동
경력	한국에 교환학생으로 다녀온 경험이 있다. 아르바이트 경험이 많다.
자격증	태권도 사범 자격증

2

지원 동기	한국어 능력을 발휘하고 싶다.
특기	한국어와 중국어의 동시통역을 할 수 있다.
경력	동시통역 경험이 많다. 한국 신문의 기사를 중국어로 번역할 수 있다.
자격증	한국어 6급 자격증, 동시통역사 자격증

듣기 Listening

◀Track **15**

Two people are discussing the jobs they prefer. Listen carefully and answer the questions.

1. Choose all the reasons why working for a small or mid-sized company is better than working for a big one.

① 월급이 더 많다.

② 시간 여유가 더 많다.

③ 한 가지 일을 깊이 배울 수 있다.

④ 분위기가 좀 더 따뜻하다.

2. Circle (True) or (False).

1) 예전부터 젊은이들은 중소기업을 선호했다.	T	F
2) 요즘 젊은 사람들은 돈을 제일 중요하게 생각한다.	T	F
3) 다양한 일을 배우기에는 대기업보다 중소기업이 더 좋다.	T	F

말하기 Speaking

Have an interview by role-playing as an interviewer and an applicant with a partner.

1. Think about how you would answer the following questions.

• 우리 회사를 지원한 동기는 무엇입니까?

• 취미와 특기는 무엇입니까?

• 우리 회사에 지원하기 위해 어떤 준비를 했습니까?

• 동아리 활동을 한 적이 있습니까?

• 봉사 활동을 한 적이 있습니까?

• 특기가 있으면 소개해 보세요.

2. Suppose you are an interviewer, and interview three classmates using three of the questions listed above.

3. Who would make the best applicant among the three interviewees and why?

 읽기 Reading

1 Read the following job advertisement and answer the questions.

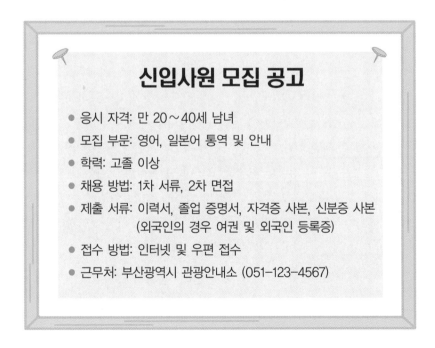

신입사원 모집 공고

• 응시 자격: 만 20~40세 남녀

• 모집 부문: 영어, 일본어 통역 및 안내

• 학력: 고졸 이상

• 채용 방법: 1차 서류, 2차 면접

• 제출 서류: 이력서, 졸업 증명서, 자격증 사본, 신분증 사본
 (외국인의 경우 여권 및 외국인 등록증)

• 접수 방법: 인터넷 및 우편 접수

• 근무처: 부산광역시 관광안내소 (051-123-4567)

1. What kind of job advertisement is this?

① 수출 회사 신입사원　　　② 외국어 교사

③ 통역 안내원　　　④ 여행사 직원

2. Which of the following statements is true?

① 필기시험을 본다.

② 경력이 없어도 지원할 수 있다.

③ 대학교를 졸업한 사람만 지원할 수 있다.

④ 지원 서류를 반드시 우편으로 보내야 한다.

2 Read about types of colleagues that are disliked by other workers and circle **T** (True) or **F** (False).

　　사람들은 직장에서 보람을 찾고, 함께 일하는 사람과의 관계 속에서 만족을 느끼길 원한다. 그러나 때로 동료들 간에 일어나는 문제 때문에 스트레스를 받기도 하고 일에 대한 의욕을 잃어버리기도 한다.

　　주식회사 가나다에서는 200명의 사원을 대상으로 '직장에서 제일 얄미운 동료는 어떤 사람인가?' 에 대한 설문 조사를 실시했다.

　　여성이 싫어하는 남성 직장 동료로는, '반말 하는 남자' 가 제일 많은 의견을 차지했고, '지저분하고 외모에 전혀 신경 쓰지 않는 남자' 가 그 다음 순위를 차지했다. '예의가 없는 남자', '지나치게 여성의 외모를 따지는 남자' 가 그 뒤를 이었으며, '지나치게 남성 우월주의에 빠져 있는 남자' 가 5위를 차지했다. 기타 의견으로 '일도 못 하면서 목소리만 큰 남자' 도 있었다.

　　한편 남성은 '주변 정리는 하지 않으면서 얼굴 정리만 하는 여자' 를 제일 얄미운 직장 동료로 꼽았고, '자신의 업무에 책임감이 없는 여자', '사적인 전화가 많은 여자' 를 그 다음으로 꼽았다. '잘난 척하는 여자' 가 약간의 차이로 그 뒤를 이었고, '밥 먹듯 지각하고 퇴근은 정확히 하는 여자' 가 최하위를 차지했다.

1) 여성들은 외모가 깔끔하지 않은 남자 동료를 싫어한다.　　　Ⓣ　　Ⓕ

2) 여성들은 일도 못 하면서 큰 소리만 치는 남성 동료를 가장 싫어한다.　Ⓣ　　Ⓕ

3) 남성들은 화장을 너무 진하게 하는 여자 동료를 싫어한다.　　　Ⓣ　　Ⓕ

4) 남성들은 개인적인 일로 전화를 많이 하는 여자 동료를 싫어한다.　　Ⓣ　　Ⓕ

 쓰기 Writing

Fill out the following personal statement after thinking about what information should be included.

자 기 소 개 서			
성 장 배 경		학 창 시 절	
취 미 및 특 기		장 점 및 단 점	
지 원 동 기		향 후 계 획	

가족적이다 to be friendly like a family　　　　　－개월 간 for (number) months

고졸 high school graduate　　꿈을 펼치다 to fulfill one's aim

남성 우월주의 male chauvinism 높은 자리로 올라가다 to be promoted

－단 degree (in taekwondo, i.e. first-degree black belt) 대기업 large enterprise

동시통역 simultaneous interpretation　　　　　동시통역사 interpreter

떨어져 살다 to live apart from 떨어지다 to fall, to drop 마술 magic

만 －세 age　　　　　및 and, as well as　　　바람을 맞다 to get the run-around

반말 impolite form of speech 밥 먹듯 －하다 to do (something) on a regular basis

번역 (written) translation　　봉사 활동을 하다 to (do a) volunteer work

부문 section, department　　분야 field, section　　분위기 atmosphere

사적이다 to be personal　　신입사원 new employee 심사 judgment

약간 sort of, a little　　얄밉다 to be detestable 여유 time (to spare), room

연락이 없다 to not hear from someone　　　　연락이 오다 to hear from someone

예의가 없다 to lack manners　외국인 등록증 alien registration card

－을/를 따지다 to be critical about　　　　　의욕 will, desire

잇다 to connect　　자격 qualification　　자세 posture, attitude

잘난 척하다 to be big-headed　잡지 magazine

정보 처리사 data processing technician　　주식회사 stock company

주유소 gas station　　중소기업 small to mid-sized company

지나치다 to be too much　지저분하다 to be messy/dirty

차지하다 to occupy　　책임감 sense of responsibility

최하위 the lowest position　태권도 taekwondo (Korean martial art)

태권도 사범 taekwondo master

파전 pajeon (pancake-shape food made with green onions)

>>> **문화** Culture

>>> How to Make a Job Interview Successful

● How should you prepare for an interview if you want a job in Korea? Let us talk about ways to receive high marks during an interview.

● Read the following passage and think about what to do during an interview.

> It is the most important during an interview to appear confident yet courteous. When answering a question, you must use a loud, clear voice and reply with confidence.

In addition, you must use honorifics and lower yourself in speech when speaking to show respect to the interviewer. When referring to the company that you have applied for use the term, "귀사(your esteemed company)," rather than using the actual name of the company. This will leave a good impression.

Being too honest when answering a question is not recommended. If the interviewer asks a difficult question, it is recommended that you talk about your knowledge regarding the question rather than saying "I am not very sure," or "I do not know." This demonstrates that you are trying your best.

There are also many interviewees who ruin their interviews because they lose composure and become frustrated after a mistake at the beginning of the interview. Instead of showing your frustration after your initial mistake, try your best with the next answer. You may end up receiving a positive mark as a result.

In terms of attire, men and women alike must be neatly attired in suits. Interviewers may have an aversive reaction to loud colors and flashy designs, so such attire should be avoided.

● What things should you keep in mind during an interview in your country? What are the differences between ways people interview in your country and in Korea?

>>> ## 자기 평가 Self-Assessment

Do you have a full understanding of what you have studied in this chapter? Assess your Korean using the table below and review the chapter again if necessary.

Assessment Items	Scale		
I can understand a conversation about jobs that people prefer.	Excellent	Good	Poor
I can answer job interview questions appropriately.	Excellent	Good	Poor
I can read a job advertisement, understand it and write a personal statement.	Excellent	Good	Poor

16 음식

학습 목표 Learning Objectives

Tasks 1. Listening to recipes

2. Explaining cooking directions and describing flavors

3. Reading a passage that explains a recipe

4. Writing a recipe

Vocabulary & Expressions Taste, cookery, food, spices

Grammar (으)로², −고 나서, −아/어/여 놓다

Culture Korean table setting

>>> **들어가기 Warm-up**

- 이 사람들은 지금 무슨 음식을 먹고 있습니까? 이 음식의 맛은 어떨까요?
- 여러분은 무슨 음식을 좋아합니까? 그 음식은 어떻게 만듭니까?

1 Two people are eating dakgalbi (spicy pan-fried chicken) at a restaurant.

민지 에릭 씨, 전에 닭갈비를 먹어 본 적이 있어요?

에릭 아니요, 처음 먹어 봐요. 뭘로 만든 거예요?

민지 닭고기하고 여러 가지 채소로 만들었어요. 맛이 어때요?

에릭 음, 맛있어요. 채소하고 같이 볶아서 심하게 맵지도 않고, 제 입맛에 잘 맞아요.

민지 이 막국수도 드셔 보세요. 이것도 에릭 씨 입맛에 잘 맞을 거예요.

에릭 막국수는 닭갈비를 먹고 나서 먹는 것 아니에요? 갈비하고 냉면은 그렇잖아요?

민지 그런 것도 알아요? 에릭 씨도 이제 한국 사람 다 됐네요.

2 A woman is explaining how to make kimchi fried rice.

리사 민지 씨, 김치볶음밥이 아주 맛있네요. 이거 정말 민지 씨가 만들었어요?

민지 네, 제가 만들었어요. 맛있다니 다행이네요.

리사 그런데 김치볶음밥을 만드는 게 어려워요? 저도 한번 만들어 보고 싶은데요.

민지 직접 해 먹으려고요?

리사 네, 한국 음식 먹고 싶을 때 만들어 먹으면 좋을 것 같아요. 요즘은 김치를 파는
가게도 많잖아요.

민지 그럼 가르쳐 줄게요. 먼저 김치를 잘게 썰어 놓으세요. 그리고 집에 고기나
양파 같은 것이 있으면 그것도 잘게 썰어서 준비하세요.

리사 고기나 양파요?

민지 고기랑 양파가 없으면 집에 있는 다른 재료들을 넣어도 돼요. 재료가 준비되면
프라이팬에 기름을 조금 넣고 김치하고 다른 재료를 볶다가 밥을 넣고 조금만
더 볶으면 돼요.

닭갈비 dakgalbi (spicy pan-fried chicken)   닭고기 chicken (meat)

채소 vegetable   볶다 to fry (in a pan)

막국수 buckwheat noodles   드시다 *(honorific)* to eat

김치볶음밥 kimchi fried rice   다행이다 to be fortunate

해 먹다 to make and eat   잘다 to be fine/small

썰다 to chop, to mince, to dice   양파 onion

재료 ingredients   프라이팬 frying pan

기름을 넣다 to put oil

>>> **어휘 및 표현** Vocabulary & Expressions

1 맛 Taste

맛보다 to taste   싱겁다 to not be salty enough

시다 to be sour   쓰다 to be bitter

짜다 to be salty   느끼하다 to be greasy

매콤하다 to be spicy   새콤하다 to be sour

달콤하다 to be sweet

⊙— 연습 (Practice)

Fill in each blank with an appropriate word from the box. Change the form if necessary.

싱겁다	시다	쓰다	느끼하다	매콤하다	달콤하다

1 국에 소금이 덜 들어갔는지 제 입에는 좀 _____.

2 고추장이 맛있어서 그런지 닭갈비가 _____ 맛있어요.

3 볶음밥에 기름이 너무 많아서 _____.

4 레몬처럼 맛이 _____과일을 보면 입에 침이 생겨요.

2 조리 Cookery

씻다 to wash, to rinse	자르다 to cut
깎다 to cut	썰다 to slice
무치다 to season vegetables (with condiments)	볶다 to fry (in a frying pan)
튀기다 to fry	굽다 to roast, to bake
삶다 to boil	찌다 to (cook with) steam
끓다 to come to a boil	끓이다 to boil
익다 to be cooked thoroughly	익히다 to cook
데우다 to warm up	간을 하다 to salt

◉— 연습 (Practice)

Match each picture on the left with a related cookery on the right.

1

 •
   • ① 볶다

2

 •
   • ② 굽다

3

 •
   • ③ 무치다

4

 •
   • ④ 썰다

3 음식 Food

밥 rice (cooked)

탕 soup

볶음 broil (food)

찜 steamed dish

무침 seasoned vegetables

국 soup, broth

찌개 stew (hot pot)

튀김 fried dish

구이 roasted/baked dish

⊙— 연습 (Practice)

Match each dish on the left with a related cookery on the right.

1 찜 •

2 무침 •

3 구이 •

4 볶음 •

• ① 무치다

• ② 볶다

• ③ 찌다

• ④ 굽다

4 양념 Spices

파 green onion

소금 salt

설탕 sugar

고춧가루 red pepper (powder)

고추장 red pepper paste

참기름 sesame (seed) oil

마늘 garlic

간장 soy sauce

식초 vinegar

된장 fermented soybean paste

식용유 cooking oil

후춧가루 black pepper

⊙— 연습 (Practice)

Match each spice on the left with a related taste on the right.

1 식초 •

2 간장 •

3 고추장 •

4 설탕 •

• ① 짜다

• ② 시다

• ③ 달다

• ④ 맵다

5 유용한 표현 Useful Expressions

이 음식을 먹어 본 적이 있어요? Have you tried (eating) this food before?

이 음식은 무엇으로 만들었어요? What did you use to make this food?

이 음식에는 뭐가 들어가요? What is in this food?

양념을 무엇으로 했어요? What spices did you use?

참기름은 넣지 말고 주세요. Please don't put any sesame oil in (this).

제 입맛에 딱 맞아요. This tastes perfect/just right (to me).

아주 맛있어 보여요. It looks really good to eat.

◉— 연습 (Practice)

Complete each dialog by choosing the appropriate sentence for the blank.

1 가: 맛이 어때요?

　　나: ＿＿＿＿＿＿＿＿＿＿＿＿＿＿＿＿

　　① 제 입맛에 딱 맞아요.

　　② 막국수도 드셔 보세요.

2 가: ＿＿＿＿＿＿＿＿＿＿＿＿＿＿＿＿

　　나: 아니요, 처음 먹어 봐요.

　　① 이 음식을 먹어 본 적이 있어요?

　　② 양념을 무엇으로 했어요?

3 가: ＿＿＿＿＿＿＿＿＿＿＿＿＿＿＿＿

　　나: 닭고기와 채소가 들어가요.

　　① 이 음식은 무엇으로 만들어요?

　　② 이 음식은 어떤 맛이에요?

4 가: 양념을 다 넣어 드릴까요?

　　나: 아니요, ＿＿＿＿＿＿＿＿＿＿＿＿＿＿

　　① 아주 맛있어 보여요.

　　② 참기름은 넣지 말고 주세요.

1 (으)로²

"(으)로" is attached to a noun to mean *with*, *by* and *by means of*.

1 가: 이 과자는 뭘로 만들었어요?

나: 쌀로 만든 거예요.

2 가: 이 호박으로 무엇을 만들어 먹을까요?

나: 호박죽을 만들어 먹읍시다.

3 가: 이 약을 먹는 동안에는 밀가루로 만든 음식은 먹지 마세요.

나: 네, 알겠습니다.

4 가: 가방이 예쁘네요.

나: 못 입는 청바지로 만들어 봤는데 예뻐요?

⊙─ **연습 1**(Practice 1)

Complete each dialog by using the words in the parentheses.

1 가: 이 음식은 무엇으로 만들었어요?

나: _____ 만들었어요. (돼지고기와 감자)

2 가: 매운탕은 뭘로 만드는지 아세요?

나: 네, _____. (생선과 채소)

3 가: 이 만두는 돼지고기로 만든 거예요?

나: 아니요, _____. (소고기)

4 가: 의자가 아주 특이하네요.

나: 이 의자는 _____ 만들었어요. (신문)

⊙─ **연습 2**(Practice 2)

Using "(으)로," talk with a partner about four dishes you enjoy eating and what they are made of as shown in the example.

Ex.

> 제가 좋아하는 음식은 고기만두입니다.
>
> 고기만두는 돼지고기와 여러 가지 채소, 밀가루로 만듭니다.

2 -고 나서

"-고 나서" is attached to a verb stem and expresses *after finishing that action*.

1 가: 지금 채소를 볶을까요?

　나: 아니요, 고기를 먼저 볶고 나서 채소를 볶으세요.

2 가: 갈비하고 냉면하고 같이 먹는 거예요?

　나: 그래도 되지만 갈비를 먹고 나서 냉면을 먹으면 더 맛있어요.

3 가: 두부하고 파를 같이 넣으면 돼요?

　나: 아니요, 두부를 넣고 나서 조금 후에 파를 넣으세요.

4 가: 언제 회의를 시작할까요?

　나: 식사를 하고 나서 바로 시작합시다.

◉— 연습 1(Practice 1)

Complete each dialog by using "-고 나서."

1 가: 고기하고 채소하고 같이 볶아요?

　나: 아니요, 먼저 _____.

2 가: 식초하고 설탕을 한꺼번에 넣어요?

　나: 아니요, 먼저 설탕을 _____.

3 가: 날씨가 너무 좋아요. 우리 산책하러 갈래요?

　나: 지금 배가 너무 고파요. _____.

4 가: 수미 씨한테 언제 전화할 거예요?

　나: 이 일만 _____.

◉— 연습 2(Practice 2)

What dish do you often cook? Talk with your partner about it and explain how to make it by using "-고 나서."

3 -아/어/여 놓다

When "-아/어/여 놓다" is attached to a verb, it is used to express the preservation of a state after an action is done. It cannot be used with intransitive verbs but only with transitive verbs.

a) If the stem ends in a vowel "ㅏ" (excluding '하다') or "ㅗ," "-아 놓다" is used.

b) If the stem ends in any vowel other than "ㅏ" or "ㅗ," "-어 놓다" is used.

c) For "하다," "-여 놓다" is used: however, it is often contracted to "해 놓다."

1 가: 이 고기는 어떻게 할까요?

　나: 우선 썰어 놓으세요.

2 가: 이 과일은 냉장고에 넣어 놓을까요?

　나: 아니요, 접시에 담아 놓으세요.

3 가: 생선 구이를 먹고 싶은데요.

　나: 그러면 냉동실에서 생선을 꺼내 놓으세요.

4 가: 왜 창문을 열어 놓았어요?

　나: 방이 더운 것 같아서 열어 놓았어요.

⊙— 연습 1(Practice 1)

Complete each dialog by using "-아/어/여 놓다."

1 가: 채소는 잘게 썰어 주세요.

　나: 벌써 다 _____.

2 가: 남은 음식은 버렸어요?

　나: 아니요, 냉장고에 _____.

3 가: 불고기가 먹고 싶어요. 제가 고기를 사 올 테니까 좀 만들어 주세요.

　나: 그럴 줄 알고 고기하고 재료를 벌써 _____.

4 가: 방이 왜 이렇게 추워요?

　나: 이상한 냄새가 나는 것 같아서 창문을 _____.

⊙— 연습 2(Practice 2)

Suppose you are going to invite guests to your house. What will you prepare before the guests arrive? Using "-아/어/여 놓다," talk about four things that you will prepare.

>>> **대화 연습** Conversation Drill

Two people are talking about recipes. Practice the conversation with a partner and then do it again using the information below.

❋ 김치볶음밥 만드는 법
① 김치를 잘게 썬다. ➡ ② 고기와 양파를 잘게 썬다. ➡ ③ 프라이팬에 기름을 넣는다. ➡ ④ 김치와 다른 재료를 프라이팬에 넣고 볶는다. ➡ ⑤ 프라이팬에 밥을 넣고 조금 더 볶는다.

가 제가 만든 김치볶음밥이에요. 한번 먹어 봐요. 맛이 어때요?

나 음, 맛있어요.

가 맵지 않아요?

나 조금 맵지만 괜찮아요. 민지 씨의 요리 솜씨가 좋은데요. 그런데 이거 만들기 어려워요?

가 아니요, 아주 쉬워요. 어떻게 만드는지 가르쳐 줄까요?

나 네, 가르쳐 주세요.

가 김치를 잘게 썰어 놓으세요. 그리고 고기와 양파도 잘게 썰어 놓으세요. 프라이팬에 기름을 조금 넣고 나서 준비해 놓은 재료를 넣고 볶으세요. 그리고 밥을 넣고 다시 조금만 더 볶으면 돼요.

나 생각보다 간단하네요. 저도 한번 만들어 봐야겠어요.

1

❋ 떡볶이 만드는 방법
① 떡을 먹기 좋은 크기로 썰어 찬물에 씻는다. ➡ ② 양파와 파를 적당한 크기로 썬다. ➡ ③ 냄비나 프라이팬에 물을 조금 넣고 끓이다가 물이 끓으면 고추장을 넣는다. ➡ ④ 떡과 채소를 넣고 끓인다. ➡ ⑤ 국물이 끓으면 설탕, 마늘, 파를 넣고 조금 더 끓인다.

2

❋ 김치찌개 만드는 방법
① 김치를 잘게 썬다. ➡ ② 돼지고기를 먹기 좋은 크기로 썬다. ➡ ③ 냄비에 돼지고기를 볶다가 김치를 넣고 같이 볶는다. ➡ ④ 돼지고기가 익으면 물을 넣고 끓인다. ➡ ⑤ 국물이 끓으면 두부하고 파를 넣고 조금 더 끓인다.

듣기 Listening   🔊 Track 16

The following is a television program where a cook introduces his/her own recipe. Listen carefully and answer the questions.

1. What food is being introduced by the man?

2. Put the pictures in the right order to make the dish.

ㄱ
(   )

ㄴ
(   )

ㄷ
(   )

ㄹ
(   )

ㅁ
(   )

 말하기 Speaking

Introduce to your partner the recipe of a dish you know how to make well.

1. Think of a dish you can make well, what ingredients are necessary, and how you prepare it.

음식 이름	
음식 재료	
조리 방법	

2. Introduce your recipe to your partner.

 읽기 Reading

1 The following pictures are for a recipe for haemul pajeon. Look at the pictures carefully and put the statements into the correct order.

해물파전

재료: 파, 해산물(굴, 오징어), 채소(양파, 당근, 고추), 식용유

ㄱ. 파를 깨끗이 씻은 후에 썰어 놓는다.

ㄴ. 프라이팬에 기름을 넣고 준비해 놓은 재료를 부친다.

ㄷ. 잘 익으면 접시에 담아 놓는다.

ㄹ. 그릇에 밀가루 반죽을 만든다.

ㅁ. 해산물을 잘 씻어서 준비해 놓는다.

ㅂ. 파전이 반쯤 익으면 뒤집는다.

(ㄱ) ➡ (   ) ➡ (   ) ➡ (   ) ➡ (   ) ➡ (ㄷ)

2 The following is a recipe for bulgogi. Read it carefully and answer the questions.

불고기의 조리법

불고기는 외국인이 가장 좋아하는 한국 음식 중 하나이다. 불고기를 만드는 방법을 알아보자.

소고기는 부드러운 부분을 골라서 적당한 크기로 얇게 썰어 놓는다. 간장, 설탕, 파, 마늘, 후춧가루, 참기름을 섞어 양념장을 만든다. 여기에 소고기를 넣고 30분 정도 재워 놓는다. 이렇게 양념에 재워진 고기를 프라이팬에 굽는다. 구울 때 센 불에서 빨리 구워야 맛있다.

불고기를 마늘, 고추와 함께 상추에 싸서 먹으면 더욱 맛있게 먹을 수 있다.

1. Which of the following is NOT an ingredient in bulgogi?

① 소고기   ② 간장   ③ 상추   ④ 설탕

2. Scan the reading and circle T(True) or F(False).

1) 소고기는 부드러운 부위를 얇게 썰어 사용한다.　　T　F

2) 불고기를 만들 때 설탕과 간장을 같이 넣는다.　　T　F

3) 불고기는 약한 불에 오랫동안 구워야 한다.　　　T　F

4) 불고기는 채소와 같이 먹어도 좋다.　　　　　T　F

 쓰기 Writing

Write the recipe of a dish that you can make well.

1. Write down the name of the dish that you are going to introduce, its ingredients and cooking instructions.

2. Write the recipe for the dish using the information that you wrote above.

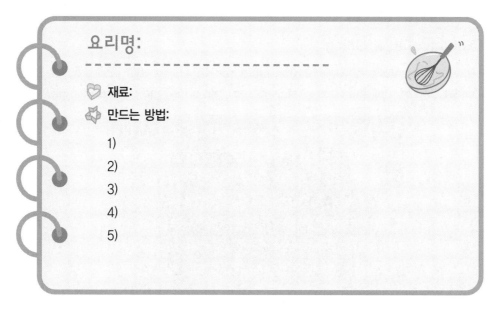

요리명:
- -

♡ 재료:

✦ 만드는 방법:

　1)

　2)

　3)

　4)

　5)

갈비 rib	감자 potato	구워 내다 to be roasted and served
꺼내다 to take out	남다 to remain	냄새가 나다 to smell
냉면 cold noodles	담다 to dish up	담백하다 to be simple/bland
당근 carrot	돼지고기 pork	두부 soybean curd
뒤집다 to turn over	딱 맞다 to match perfectly	레몬 lemon
마늘 garlic	만두 dumpling	매운탕 spicy fish stew
면 noodle	밀가루 wheat flour	밀가루 반죽 dough
버섯 mushroom	부드럽다 to be tender	부위 part
부치다 to fry	상추 lettuce	새우 shrimp
생각보다 more than (I) thought		생선 fish
섞다 to mix	소고기 beef	쌀 uncooked rice

쌈장 paste used for lettuce wraps(mixture of red pepper paste, soybean paste, and spices)

얇다 to be thin	오징어 squid	요리 솜씨가 좋다 to be good at cooking
자르다 to cut	잡채 japchae(potato starch noodles stir-fried with vegetables)	
적당하다 to be suitable	접시 plate, dish	청바지 blue jeans
침 saliva	특이하다 to be unique	한꺼번에 at the same time
해산물 seafood	호박 pumpkin	호박죽 pumpkin porridge
후춧가루 black pepper		

>>> 문화 Culture

>>> Korean Table Setting

● The picture below shows a Korean table setting. Using your background knowledge of how tables are set in Korea, talk about the picture below.

- The following passage explains how tables are set in Korea. Read it carefully.

Korean people's staple is rice accompanied by soup and side dishes. When eating, Koreans use a spoon and chopsticks. Aside from rice and soup, Koreans do not prepare dishes for each individual. Each side dish as well as stew is placed in separate bowls, and people use their spoons and chopsticks to eat from them. Through its dining culture, the importance of community in Korean culture can be seen.

The side dish that can never be omitted from a Korean table setting is kimchi. Kimchi is made by salting radish, cabbage or cucumber, and then mixing it with seasonings made of hot pepper powder, garlic, green onion, ginger and salted fish preserves. Kimchi becomes fermented by the lactic acid bacterium while it is preserved, or stored. This lactic acid bacterium not only increases appetite but also promotes intestinal health. Although making kimchi was a method for storing vegetables for an extended period of time, it is also known to supply various minerals and vitamins. At the beginning of winter, people would make enough kimchi to last the entire season. This tradition is called *gimjang* (kimchi-making for the winter).

- Compare the table setting in Korea to that of your country. Then talk about typical dishes from your country.

>>> **자기 평가** Self-Assessment

Do you have a full understanding of what you have studied in this chapter? Assess your Korean using the table below and review the chapter again if necessary.

Assessment Items	Scale		
I can listen to and understand a conversation about a recipe.	Excellent	Good	Poor
I can ask and answer questions regarding a dish that I am confident in making.	Excellent	Good	Poor
I can read and write cooking instructions.	Excellent	Good	Poor

17

Appearance · Clothing

용모 · 복장

▶ 학습 목표 Learning Objectives

Tasks 1. Listening to a conversation about reporting a missing person
2. Talking about your favorite types of clothing/attire
3. Reading an advertisement for a missing person and a passage describing someone's appearance
4. Writing about your own appearance and clothing/attire

Vocabulary & Expressions Appearance (face, body), clothing/attire
Grammar 처럼, –(으)ㄴ/는 편이다, –던데요
Culture Hanbok: traditional Korean clothes

>>> **들어가기** Warm-up

● 지금 두 사람은 무엇에 대해 이야기하고 있을까요?

● 여러분은 키가 큽니까, 작습니까? 부모님 중 누구를 닮았습니까?

1 Two people are looking through family pictures together.

리사	와, 이거 민수 씨 가족사진이에요?
민수	네, 작년에 찍은 거예요.
리사	키가 큰 사람이 형이에요?
민수	네, 우리 형이에요.
리사	그런데 형이 키가 크고 멋있게 생겼네요.
민수	네, 형은 아버지를 닮아서 키가 굉장히 큰 편이에요.
리사	그럼 민수 씨는 어머니를 닮았어요?
민수	네, 저는 어머니를 닮아서 체격이 좀 작은 편이에요.

2 Two people are talking to each other.

은석	내일 데이트가 있는데, 뭘 입으면 좋을까?
민수	그래? 나는 네가 양복을 입었을 때가 제일 멋있던데.
은석	양복을 입으면 나이가 들어 보이지 않을까? 내일 만날 사람이 나이가 어리니까 나도 좀 젊고 밝게 입는 게 좋을 것 같은데.
민수	그래? 그럼 지금처럼 편하게 캐주얼을 입어야겠네. 청바지에 티셔츠 어때?
은석	나는 청바지를 자주 입지 않아서 어색한데 괜찮을까?
민수	지난번 모임에 청바지 입고 나왔잖아. 그때 괜찮았어.
은석	좋아. 그럼 내일은 청바지 입고 나가야겠다.

New Words & Expressions 1

멋있게 생기다 to look handsome	–을/를 닮다 to look like
굉장히 very, awfully	체격이 작다 to be of small size (body)
데이트 date	양복 a suit (typically Western style)
나이가 들어 보이다 to look older	젊다 to be young
캐주얼 casual	청바지 blue jeans
어색하다 to be awkward	

1 외모: 얼굴 Appearance: Face

둥글다 to be round

갸름하다 to be oval

네모나다 to be square

코가 높다 to have a high nose

눈썹이 짙다 to have thick eyebrows

쌍꺼풀이 있다/없다 to have (no) double eyelids

보조개가 있다 to have dimples

점이 있다 to have a mole

수염이 있다 to have a beard/mustache or whiskers

입술이 두껍다/얇다 to have thick/thin lips 눈이 크다 to have big eyes

피부가 곱다 to have a fair complexion

⊙— 연습 (Practice)

Choose the words from the box that match the pictures.

갸름하다	둥글다	네모나다	코가 높다
입술이 두껍다 / 얇다	눈썹이 짙다	보조개가 있다	수염이 있다

1

_____

2

_____

3

_____

4

_____

2 외모: 몸 Appearance: Body

체격이 크다/작다 to have a large/small build
다리가 길다/짧다 to have long/short legs
어깨가 넓다/좁다 to have broad/narrow shoulders   뚱뚱하다 to be fat
머리숱이 많다/적다 to have thick/thin hair   날씬하다 to be slender/slim
키가 크다/작다 (height) to be tall/short   마르다 to be skinny

◉— 연습 (Practice)

Match the related words. Then, fill in each blank with the opposite word.

1 체격 ●   ● ① 넓다 (   )
2 어깨 ●   ● ② 크다 (   )
3 머리숱 ●   ● ③ 많다 (   )

3 복장 Clothing/Attire

정장 formal dress, suit   캐주얼 casual
티셔츠 T-shirt   블라우스 blouse
와이셔츠 dress shirt   조끼 vest
재킷 jacket   점퍼 jumper, jacket
코트 coat   치마 skirt
반바지 shorts   반팔 short-sleeved shirt
양말 socks   스타킹 stockings

◉— 연습 (Practice)

Complete each dialog by filling in the blank with an appropriate word from the box.

와이셔츠	반팔	캐주얼	점퍼	정장

1 **가**: 언니, 나 내일 면접 보러 가는데 _____ 좀 빌려 줄래?

　 나: 세탁소에 맡겼는데 찾아와야겠구나.

2 가: 곧 날씨가 더워질 텐데, _____ 셔츠가 없어요.

　　나: 이따가 백화점에 갈 건데, 같이 갈래요?

3 가: 넥타이 색깔이 아주 예쁘네요.

　　나: _____ 색깔과도 잘 어울리지요?

4 가: 산에 올라오니까 바람이 불어서 춥네요.

　　나: 그럼 이 _____을/를 입으세요.

4 유용한 표현 Useful Expressions

저는 어머니를 (안) 닮았어요. I (don't) look like my mother.

저는 형이랑 닮았어요. My brother and I look alike.

어디가 닮았어요? How do we/they look alike?

어떻게 생겼어요? What does he/she look like?

어떤 옷이 어울릴까요? What kind of clothes will look good?

저 옷은 나이가 들어 보여요. Those clothes make you look older.

저는 캐주얼 차림을 좋아해요. I like to dress casually.

◉─ 연습 (Practice)

Complete each dialog by choosing the appropriate sentence for the blank.

1 가: _____

　　나: 얼굴이 둥글고 쌍꺼풀이 있어요.

　　① 어떻게 생겼어요?

　　② 어머니를 닮았어요?

2 가: 면접 때 어떤 옷을 입는 게 좋을까요?

　　나: _____

　　① 이 블라우스는 너무 비싸요.

　　② 캐주얼보다 정장이 좋아요.

3 가: 저기에 걸린 저 옷은 어때요?

　　나: _____

　　① 가격보다는 품질이 중요해요.

　　② 저 옷은 나이가 들어 보여요.

4 가: 두 사람이 어디가 닮았어요?

　　나: _____

　　① 눈하고 코가 아주 똑같아요.

　　② 보조개가 있으면 예뻐요.

>>> 문법 Grammar

1 처럼

"처럼" is placed after a noun to show something has similar characteristics as the noun. The meaning is close to *like* or *as*. A verb or adjective follows the "noun-처럼" phrase.

1 가: 저하고 제 여동생하고 많이 닮았지요?

　　나: 정말 여동생도 수진 씨처럼 눈이 크네요.

2 가: 어떻게 하면 20대처럼 젊어 보이게 옷을 입을 수 있을까요?

　　나: 정장 말고 캐주얼로 바꿔 보세요.

3 가: 왕웨이 씨는 한국말을 정말 잘하죠?

　　나: 네, 꼭 한국 사람처럼 말해요.

4 가: 설악산 어땠어요?

　　나: 정말 그림처럼 아름다웠어요.

◉— 연습 1(Practice 1)

Change the sentences by using "처럼" as shown in the example below.

> Ex.
>
> 예뻐요. (장미꽃) ➡ 장미꽃처럼 예뻐요.

1 눈이 아주 맑아요. (호수) ➡ _____

2 노래를 잘 불러요. (가수) ➡ _____

3 키가 정말 커요. (농구 선수) ➡ _____

4 일이 많아요. (산더미) ➡ _____

Describe how your classmates look like by using "처럼" as shown in the example .

Ex.

마리 씨는 곰 인형처럼 귀여워요.

2 –(으)ㄴ/는 편이다

"–(으)ㄴ/는 편이다" is attached to a verb, adjective or the "noun–이다" form to express something has a tendency to be a certain way. It is also used to express something humbly, or when one is not sure about the degree or frequency.

"–는 편이다" is attached to a verb stem or "있다/없다" adjective stem, and "–(으)ㄴ 편이다" is used with an adjective stem or the "noun–이다" form. However, with verbs, when you are expressing thoughts about a situation past, "–(으)ㄴ 편이다" is used instead.

1 가: 형도 키가 커요?

   나: 네, 우리 형도 키가 큰 편이에요.

2 가: 어떤 옷이 잘 어울려요?

   나: 저는 정장이 잘 어울리는 편이에요.

3 가: 매일 친구들을 만나요?

   나: 네, 친구들이 좀 많은 편이거든요.

4 가: 왜 그렇게 조금밖에 안 먹었어요?

   나: 이 정도면 꽤 많이 먹은 편인데요.

⊙— 연습 1(Practice 1)

Complete each dialog by using "–(으)ㄴ/는 편이다."

1 가: 부모님께 전화 자주 드리세요?

   나: _____.

2 가: 책 읽는 거 좋아해요?

   나: _____.

3 가: 서울은 겨울에 날씨가 어때요?

나: _____.

4 가: 토론토는 집값이 어때요?

나: _____.

⊙― 연습 2 (Practice 2)

Tell your partner four characteristics of his/her appearance using "-(으)ㄴ/는 편이다."

3 -던데요

"-던데요" is attached to a verb, adjective or the "noun-이다" form to reflect on or remember a fact that has been seen, heard or felt before. It is usually used with the second or third person subject. When it is used with the first person subject, it should be combined with adjectives only. However, if the action has already been completed, "-았/었/였던데요" is used instead.

1 가: 어제 만난 사람 어땠어요?

나: 정말 키가 크던데요. 농구 선수 같았어요.

2 가: 진영 씨, 사토시 씨가 어디 있는지 알아요?

나: 사토시 씨요? 아까 집에 가던데요.

3 가: 영철 씨가 오늘은 어떤 옷을 입었어요?

나: 오늘은 멋있는 양복을 입었던데요.

4 가: 그 영화 아직도 해요?

나: 아니요, 벌써 끝났던데요.

⊙― 연습 (Practice)

Complete each dialog by using the words in the parentheses.

> Ex.
>
> 가: 영준 씨가 어디에 있는지 알아요?
>
> 나: 도서관에서 책을 읽던데요. (도서관에서 책을 읽다)

1 가: 새로 이사 갈 아파트에 가 봤어요? 어때요?

　나: ＿＿＿＿＿＿＿＿＿＿＿＿＿＿＿. (아파트가 깨끗하다)

2 가: 저 식당 음식이 맛이 있을까?

　나: ＿＿＿＿＿＿＿＿＿＿＿＿＿＿＿. (친구들이 맛있다고 하다)

3 가: 잡지 못 보셨어요? 조금 전에 책상 위에 있었는데…….

　나: ＿＿＿＿＿＿＿＿＿＿＿＿＿＿＿. (영준 씨가 읽고 있다)

4 가: 아까 전화한 사람의 목소리가 어땠어요?

　나: ＿＿＿＿＿＿＿＿＿＿＿＿＿＿＿. (목소리가 좀 굵은 편이다)

Two people are looking at a family photograph and talking about their families. Practice the conversation with a partner and then do it again using the information below.

후이네 가족
아버지: 키가 크다, 얼굴이 갸름하다
어머니: 키가 작다, 얼굴이 동그랗다

후이 　이 사람이 우리 언니예요.

민정 　후이 씨하고 별로 안 닮은 것 같은데요.

후이 　네, 언니는 아버지를 닮아서 얼굴이 갸름하고 키는 큰 편이죠.

민정 　그럼, 후이 씨는 누구를 닮았어요?

후이 　저는 어머니요. 그래서 어머니처럼 얼굴이 동그랗고 키는 작은 편이에요.

1

마크네 가족
아버지: 체격이 크다, 눈썹이 짙다,
　　　　수염이 있다
어머니: 피부가 곱다, 얼굴이 둥글다,
　　　　쌍꺼풀이 있다

2

수지네 가족
어머니: 얼굴이 작다, 눈이 크다,
　　　　보조개가 있다
아버지: 얼굴이 네모나다, 키가 작다,
　　　　눈이 작다

>>> **과제** Tasks

 듣기 Listening

 🔊 Track 17

Listen to the conversation and guess who is being reported.

 ①  ②  ③

 말하기 Speaking

What is your favorite type of clothing? Discuss it with a partner.

1. What kinds of clothes do you like to wear? Write them down in the space below.

2. Does your clothing preference change according to the situation? If so, discuss with a partner how different situations affect your preferences.

상황	즐겨 입는 옷
데이트	
결혼식	

읽기 Reading

1 The following is a poster for a missing person. Read it carefully and answer the questions.

1. Think about what information is found on a missing person's report.

2. Read the following poster carefully and find the person who matches the description.

사람을 찾습니다.

할머니를 찾습니다.
키는 155cm로 체격은 좀 작은 편입니다.
회색 줄무늬 원피스를 입고 검정색 구두를
신고 있습니다. 얼굴은 동그랗고 쌍꺼풀이
있습니다. 그리고 입술 옆에 점이 있습니
다. 이 할머니를 보신 분은 아래 연락처로
연락해 주세요.

연락처) 010-1234-5678

① ② ③

2 Read the following passage and answer the questions.

> 우리 가족을 소개합니다. 우리 가족은 모두 4명입니다. 남편과 두 아들, 그리고 저입니다.
>
> 남편은 키가 아주 크고 체격도 큰 편입니다. 피부는 하얀 편입니다.
>
> 두 아들은 쌍둥이입니다. 같은 날 태어났지만 30초 먼저 태어난 큰 아들은 아빠를 닮았고, 30초 후에 태어난 작은 아들은 저를 닮았습니다. 그래서 큰 아들은 키도 크고, 체격도 큽니다. 그리고 얼굴도 하얗습니다. 작은 아들은 저를 닮아서 눈이 크고 쌍꺼풀이 있습니다. 입가에 보조개도 있어서 아주 귀엽습니다.

1. Which of the following statements is true?

① 큰 아들은 체격이 크다.
② 남편은 얼굴이 아주 크다.
③ 두 아들은 부모를 닮지 않았다.
④ 두 아들의 얼굴 피부색이 다르다.

2. According to the passage, what does the mother look like?

① 키가 크다.
② 보조개가 있다.
③ 피부가 하얗다.
④ 눈이 크다.

 **쓰기** Writing

Write about your appearance and style of clothing.

1. Make three notes about your appearance and what you are wearing today.

외모:

복장:

2. Suppose you are going on a blind date today. Describe yourself so that the other person can easily find you. Write three things about your appearance and clothing.

걸리다 to be caught on
넥타이 necktie
맑다 to be clear
메다 to carry (on one's shoulder)
목소리 voice
배낭 backpack, knapsack
셔츠 shirt
아동복 children's wear
어울리다 to look good on
입가 sides of the mouth
줄무늬 stripe
호수 lake

꽤 quite
동그랗다 to be roundish
매장 shop, store
면접(을) 보다 to have an interview
목소리가 굵다 to have a deep voice
산더미 pile (of something)
쌍둥이 twins
안내 방송 announcement (at public places)
원피스 one-piece dress
점 mole
피부 skin
회색 grey

>>> **문화** Culture

>>> Hanbok: Traditional Korean Clothes

● Hanbok are the traditional clothes of Korea. Talk about what you already know about the hanbok.

● The following passage is about hanbok. Read it carefully.

As the traditional clothes of Korea, the hanbok is known for its beautiful lines, both straight and curved. Although the hanbok has a long history, the modern hanbok follows its basic form from the Joseon Dynasty.

The form and color of hanbok change according to gender, age and ceremony. The basic style for women generally consists of a skirt, a coat and an outer coat; and the basic attire for men generally consists of pants, a coat, a topcoat, and lastly an outer coat.

Nowadays, people only wear hanbok during the holidays or at parties. Most recently, however, a comfortable, reformed version of the hanbok has been introduced and many people wear it as everyday clothes. Also, the world renowned hanbok designers in Korea are trying to introduce hanbok's classical yet universal beauty widely to the world by transforming the traditional hanbok into Western evening dress style.

● What do you call the traditional clothes of your country? What does it look like and when do you wear it? Tell your partner about the traditional clothes of your country.

>>> **자기 평가** Self-Assessment

Do you have a full understanding of what you have studied in this chapter? Assess your Korean using the table below and review the chapter again if necessary.

Assessment Items	Scale		
I can listen to and understand an explanation of another person's appearance.	Excellent	Good	Poor
I can describe my own appearance and clothing.	Excellent	Good	Poor
I can read and understand a passage about a person's facial features and clothes.	Excellent	Good	Poor

Tourist Attractions
여행지

▶ 학습 목표 Learning Objectives

Tasks 1. Listening to a conversation about suggesting a tourist attraction
   2. Discussing travel experiences and impressions
   3. Reading a tourist package advertisement and travel notes
   4. Writing an introduction to a tourist attraction

Vocabulary & Expressions Nature tour attractions, tourist attractions, travel impressions

Grammar –아/어/여 있다, –는 동안에, –(으)ㄹ 만하다, –ㄴ데²

Culture Jejudo Island

>>> **들어가기** Warm-up

- 두 사람은 지금 무엇에 대해 이야기하고 있을까요?
- 진호 씨가 추천하는 장소는 어떤 곳 같습니까? 무엇으로 유명한 곳일까요?

1 Two people are having a conversation at a traditional tea house.

호미란 진호 씨, 한국에서 유학을 하는 동안에 여행을 좀 하고 싶은데요. 갈 만한 곳이 있으면 소개해 주세요.

진 호 그동안 어디어디에 가 봤어요?

호미란 부산에는 가 본 적이 있는데 다른 곳은 아직 못 가 봤어요.

진 호 그래요? 그럼 방학 때 제주도를 여행해 보는 게 어때요?

호미란 제주도요? 제주도는 뭐가 좋아요?

진 호 경치가 아주 좋아요. 한라산과 바다, 폭포, 동굴⋯⋯. 구경할 만한 곳이 많고 음식도 맛있어요. 안 가 보면 후회할걸요.

호미란 그래요? 그럼 이번 방학 때는 제주도에 꼭 가 봐야겠네요.

2 Two people are having a conversation while walking along the streets of Insa-dong.

진 호 호미란 씨, 인사동에 오니까 어때요?

호미란 서울 한가운데시 옛날 사람들이 쓰던 물건을 볼 수 있어서 너무 신기해요. 저기 앉아 있는 사람은 한복을 입고 있네요.

진 호 맞아요. 이곳은 한국의 전통을 볼 수 있는 전시관도 있고, 옛날 물건을 파는 가게도 많아요. 그래서 외국 사람들이 서울을 여행하는 동안에 꼭 한 번씩 찾는 곳이에요.

호미란 진호 씨, 저기에 걸려 있는 물건은 뭐예요?

진 호 저거요? 저건 갓인데 옛날 남자들이 쓰던 모자예요.

호미란 갓이요? 가까이에서 보고 싶어요.

진 호 그래요? 그럼 들어가서 구경해 볼까요?

경치 scenery   한라산 Mt. Hallasan

폭포 waterfall   동굴 cave

한가운데 center   신기하다 to be miraculous

전시관 exhibition hall   갓 traditional Korean cylindrical hat (for men)

가까이 nearby

>>> **어휘 및 표현** Vocabulary & Expressions

1 자연 관광지 Nature Tour Attractions

호수 lake   폭포 waterfall

바닷가 seashore   해수욕장 beach

계곡 valley   숲 forest

동굴 cave   섬 island

온천 hot spring

⊙─ **연습 (Practice)**

Fill in each blank with an appropriate word from the box.

온천	폭포	해수욕장	섬	동굴	호수

1 한국에는 제주도와 같은 _____이/가 많다. 제주도는 그 중에서 가장 크다.

2 나이 드신 분들은 _____에 가는 것을 좋아하신다. 물이 좋은 곳에서 목욕을 하면
   피로가 풀리기 때문이다.

3 여름에는 산보다 _____에 피서를 가는 사람들이 많다. 수영을 할 수 있기 때문이다.

4 제주도에는 _____이/가 많이 있다. 크지는 않지만 물이 떨어지는 것을 보고 있으면
   마음이 상쾌해진다.

2 관광 장소 Tourist Attractions

박물관 museum

동물원 zoo

수족관 aquarium

민속촌 folk village

절 Buddhist temple

고궁 ancient palace

성 castle

미술관 art gallery

식물원 botanical garden

전망대 observatory

유적지 historic site

사원 abbey, mosque, temple

왕궁 royal palace

연습 (Practice)

Match each description on the left to a related tourist attraction on the right.

1 높은 곳에서 그 도시의 경치를 볼 수 있는 곳 •

2 역사적인 유물이 남아 있는 곳 •

3 여러 종류의 나무와 꽃을 구경할 수 있는 곳 •

4 옛날 사람들의 생활 모습을 볼 수 있는 곳 •

• ① 전망대

• ② 식물원

• ③ 민속촌

• ④ 유적지

3 여행 감상 Travel Impressions

인상적이다 to be memorable

화려하다 to be magnificent

웅장하다 to be grand

독특하다 to be unique

전통적이다 to be traditional

환상적이다 to be fantastic

소박하다 to be unsophisticated

아기자기하다 to be picturesque

현대적이다 to be modern

역사적이다 to be historic

Fill in each blank with an appropriate word from the box. Change the form if necessary.

소박하다	인상적이다	현대적이다	역사적이다	웅장하다

1 경주는 옛날 신라시대의 수도였기 때문에 ＿＿＿＿＿＿ 도시라고 할 수 있다.

2 그 건물은 19세기에 지어졌지만 매우 ＿＿＿＿＿＿. 지금 사용해도 별로 불편한 것이 없을 정도이다.

3 인도에서 본 절의 모습이 ＿＿＿＿＿＿ 오랫동안 기억에 남는다.

4 지난여름에 여행한 곳은 화려하지도 않고 웅장하지도 않았다. 아주 ＿＿＿＿＿＿ 아름다움을 지니고 있었다.

4 유용한 표현 Useful Expressions

서울에서 구경할 만한 곳이 어디예요? What are good sightseeing attractions in Seoul?

갈 만한 곳이 있으면 소개해 주세요. Would you recommend some good places to visit?

제주도를 여행해 보는 게 어때요? How about travelling to Jejudo Island?

안 가 보면 후회할걸요. You will regret it if you don't go.

아름다운 경치가 인상적이었어요. The beautiful scenery was memorable.

제가 가 본 곳 중에서 제일 좋았어요. It was the best among all the places I have visited.

⊙— 연습 (Practice)

Complete the following dialog by choosing the appropriate sentence for each blank.

가: 진호 씨, 저는 지난 주말에 제주도에 다녀왔어요.

나: 그래요? 가 본 느낌이 어땠어요?

가: 1 ＿＿＿＿＿＿＿＿＿＿＿＿

나: 맞아요. 경치가 참 아름다운 곳이에요.

가: 다음 휴가 때는 또 다른 곳에 가 보려고 해요.

   2 ＿＿＿＿＿＿＿＿＿＿＿＿

나: 그럼 이번에는 강원도를 3 _____

가: 강원도도 경치가 좋아요?

나: 네, 강원도에는 아름다운 산이 많아요. 특히 가을에 설악산 단풍 구경을 꼭 가

보세요. 4 _____

1 ① 경치를 구경했어요.   ② 경치가 인상적이었어요.

2 ① 갈 만한 곳이 있으면 소개해 주세요.   ② 제주도에서 구경할 만한 곳이 어디예요?

3 ① 여행해 보는 게 어때요?   ② 어디어디에 가 봤어요?

4 ① 꼭 한번 가 보고 싶어요.   ② 안 가 보면 후회할걸요.

>>> **문법** Grammar

1 –아/어/여 있다

When "–아/어/여 있다" is attached to a verb stem, it shows the preservation of a state after an action has been completed. It is only attached to intransitive verbs such as "가다," "오다," "앉다," "서다" and "열리다."

a) If the stem ends in a vowel "ㅏ" (excluding '하다') or "ㅗ," "–아 있다" is used.

b) If the stem ends in any vowel other than "ㅏ" or "ㅗ," "–어 있다" is used.

c) For "하다," "–여 있다" is used: however, it is often contracted to "해 있다."

1 가: 수미 씨, 저쪽에 걸려 있는 건 뭐예요?

   나: 저건 옛날 사람들이 쓰던 붓이에요.

2 가: 벌써 사원에 갔다 왔어요?

   나: 아니요, 사원에 갔는데 문이 닫혀 있어서 못 들어갔어요.

3 가: 저기 벽에 붙어 있는 그림은 누구 그림이에요?

   나: 제 동생이 그린 거예요.

4 가: 소영 씨는 병원에서 퇴원했어요?

   나: 아니요, 아직 병원에 입원해 있어요. 다음 주에 퇴원할 거래요.

⊙— 연습 1(Practice 1)

Complete each dialog by using "–아/어/여 있다."

1 가: 방이 춥지 않아요? 아영 씨가 창문을 열었어요?
   나: 아니요. 내가 왔을 때도 _____.

2 가: 진수 씨는 언제 온대요?
   나: 지금 저 방에 벌써 _____.

3 가: 오래 _____ 다리가 아파요.
   나: 그럼 잠깐 여기에 앉으세요.

4 가: 벽에 _____ 것이 뭐예요?
   나: 저거요? 저건 옛날 사람이 쓴 글씨예요.

⊙— 연습 2(Practice 2)

What does your classroom look like? Make four sentences describing your classroom by using "–아/어/여 있다."

2 –는 동안에

When "–는 동안에" is attached to a verb stem, it means *during the time of that action*. "에" can be omitted in everyday conversations.

1 가: 이번 여행 좋았어요?
   나: 네, 여행을 하는 동안에 한국에 대해 많이 이해하게 됐어요.

2 가: 한국에서 사는 동안에 하고 싶은 게 뭐예요?
   나: 유학을 하는 동안 여기저기 여행을 하고 싶어요.

3 가: 제가 물건을 사는 동안 여기에서 기다릴래요?
   나: 그래요. 저는 여기에서 기다릴게요. 쇼핑하고 오세요.

4 가: 내가 없는 동안 집 잘 보고 있어.
   나: 네, 걱정 말고 다녀오세요.

연습 1(Practice 1)

Complete each dialog by using "–는 동안에."

1 가: 언제 여행을 할 거예요?

나: _____ 여행을 하고 싶어요.

2 가: 그렇게 동해 바다가 아름다워요?

나: 네, 그러니까 _____ 동해 바다에 꼭 가 보세요.

3 가: 언제 일을 다 끝냈어?

나: 네가 _____ 다 했어.

4 가: 저 친구는 언제 만났어요?

나: _____ 만났어요.

연습 2(Practice 2)

What would you like to do in the following situations? Talk with your partner using "–는 동안에."

1 한국 유학   2 해외여행   3 대학 생활   4 직장 생활

3 –(으)ㄹ 만하다

When "–(으)ㄹ 만하다" is attached to a verb stem, it signifies that the action is worth doing or it is good enough to do this action.

a) If the stem ends in a vowel or "ㄹ," "–ㄹ 만하다" is used.

b) If the stem ends in a consonant other than "ㄹ," "–을 만하다" is used.

1 가: 서울에서 가 볼 만한 곳이 어디예요?

나: 남대문 시장과 인사동이 가 볼 만해요.

2 가: 부산에서 먹을 만한 음식이 뭐가 있을까요?

나: 바다 근처라서 회가 싱싱하고 맛있어요.

3 가: 그 컴퓨터를 이제 바꿔야 하는 거 아니에요?

나: 속도는 좀 느리지만 아직은 쓸 만해요.

4 가: 새로 이사한 집은 어때요?

나: 집이 넓고 깨끗해서 살 만해요.

◉— 연습 1(Practice 1)

Complete each dialog by using "–(으)ㄹ 만하다."

1 가: 한국 여행을 할 때 음식은 괜찮았어요?

　 나: 네, ＿＿＿＿＿＿＿＿＿＿＿＿＿＿＿＿＿.

2 가: 민속촌에 갔다 왔어요? 어땠어요?

　 나: ＿＿＿＿＿＿＿＿＿＿＿＿ 게 많았어요. 꼭 가 보세요.

3 가: 우리 아이가 ＿＿＿＿＿＿＿＿ 책 좀 골라 주세요.

　 나: 이 책이 어떨까요? 요즘 아이들이 좋아하는 책이에요.

4 가: 요즘 무슨 영화가 재미있어요?

　 나: ＿＿＿＿＿＿＿＿＿＿＿＿＿＿＿＿.

◉— 연습 2(Practice 2)

What tourist attractions and foods in your country would be recommendable? Introduce two of each using "–(으)ㄹ 만하다."

4 –ㄴ데²

When "–ㄴ데" is attached to a verb, adjective or the "noun–이다" form, it contrasts the two clauses within the sentence.

■ **The Present Tense**

1) For a verb or "있다/없다" adjective stem, "–는데" is used.

2) For an adjective or the "noun–이다" form,

　 a) if the stem ends in a vowel or "ㄹ," "–ㄴ데" is used.

　 b) if the stem ends in a consonant other than "ㄹ," "–은데" is used.

■ **The Past·Past Perfect Tenses**

"–았/었/였는데" is attached to a verb, adjective or the "noun–이다" form.

■ **The Future Tense·Conjecture**

"–겠는데" is attached to a verb, adjective or the "noun–이다" form.

Part of Speech ＼ Tense	Present	Past·Past Perfect	Future·Conjecture
Verb, "있다/없다"	–는데	–았는데	
Adjective	–ㄴ데	–었는데	–겠는데
"Noun–이다" form	–은데	–였는데	

1 가: 경주에 가 봤어요?

　나: 아니요, 전부터 가 보고 싶었는데 아직 못 가 봤어요.

2 가: 여행 중에 불편한 건 없었어요?

　나: 음식은 괜찮은데 숙소가 좀 불편했어요.

3 가: 새로 이사한 집이 마음에 들어요?

　나: 집은 마음에 드는데 교통이 좀 불편해요.

4 가: 스티브 씨, 이번 학기 성적이 어때요?

　나: 열심히 공부했는데 성적은 별로 안 좋아요.

⊙— 연습 1 (Practice 1)

Complete each dialog by using "–ㄴ데."

1 가: 제주도에 여행을 간 적이 있어요?

　나: 아니요, _____ 제주도는 못 가 봤어요.

2 가: 여행이 어땠어요?

　나: _____ 날씨가 나빠서 고생했어요.

3 가: 동생도 키가 커요?

　나: 아니요, _____ 동생은 키가 작아요.

4 가: _____ 왜 이렇게 배가 고프지?

　나: 이야기를 많이 해서 그럴 거야. 점심 먹으러 좀 일찍 나가자.

⊙— 연습 2 (Practice 2)

Give information about your country to a friend who is visiting your country using "–ㄴ데" as shown in the example.

> Ex.
> ○○ 호텔은 교통은 편리한데 가격이 좀 비싸요.

1 숙소　　　　　2 음식　　　　　3 교통　　　　　4 물가

Two friends are having a conversation about a good place to travel. Practice the conversation with a partner and then do it again by using the information below.

이민지 (한국)
• 추천하는 곳: 안동 하회마을
• 추천하는 이유:
  한국의 전통 문화를 알 수 있다.
  구경할 만한 것이 많다.
  (한옥, 민속 박물관, 다양한 문화 행사)

후안 민지 씨, 한국에 있는 동안 가 볼 만한 여행지 좀 추천해 주세요.

민지 가 볼 만한 곳이요? 그동안 어디어디 가 봤어요?

후안 가고 싶은 곳은 많았는데 아무 데도 못 가 봤어요.

민지 그래요? 그럼 안동 하회마을에 가 보는 게 어때요?

후안 안동 하회마을이요? 거기는 뭐가 좋아요?

민지 안동 하회마을은 한국의 전통 문화를 알 수 있는 곳이에요. 한옥, 민속 박물관,
      다양한 문화 행사 등 볼 만한 것이 아주 많아요. 안 가 보면 후회할걸요.

후안 그래요? 그럼 이번 휴가 때 안동 하회마을에 한번 가 봐야겠네요.

1

한수미 (한국)
• 추천하는 곳: 경주
• 추천하는 이유:
  역사적인 도시이다.
  구경할 만한 것이 많다.
  (절, 탑, 박물관)

2

마쓰다 에미 (일본)
• 추천하는 곳: 오키나와
• 추천하는 이유:
  하와이처럼 아름답다.
  즐길 만한 것이 많다.
  (스쿠버다이빙, 스노클링, 서핑)

 과제 Tasks

 듣기 Listening　　　　　　　　　　　　　　🔊 Track 18

Two friends are talking about a good place to travel to in Korea. Listen carefully and answer the questions.

1. What kind of place does the man want to go?

　① 유적지가 있는 곳

　② 경치가 아름다운 곳

　③ 먹을 만한 음식이 많은 곳

2. What is NOT true about the place recommended by the woman?

　① 유명한 절을 구경할 수 있다.

　② 근처에 바다가 있어서 좋다.

　③ 볼 것이 많아서 하루에 여행하기는 힘들다.

말하기 Speaking

Discuss with a partner your impressions of the place that you enjoyed traveling to most.

1. Among the places you have visited, which is the most memorable one? What did you see and what did you experience? And what were your impressions?

여행지:

본 것/경험한 것:

느낌:

2. Introduce the location to your class.

 읽기 Reading

1 The following is an advertisement for travel packages. Read it carefully and answer the questions.

1. What kind of information will be included in the advertisement? Think about possible answers.

2. Look at the ads below and recommend the best travel package for each of the following people.

1) **미영**: 친구와 함께 유럽의 여러 나라들을 자유롭게 돌아보고 싶다.   (   )

2) **철진**: 가이드의 안내를 받으면서 가족과 함께 편안한 여행을 하고 싶다. (   )

3) **민정**: 여러 나라를 돌아다니는 것보다 한 나라를 꼼꼼히 보고 싶다.   (   )

(가)	(나)	(다)
프랑스 일주 7일 〈패키지 + 자유여행〉	서유럽 4개국 9일 스위스(융프라우), 프랑스, 영국, 이탈리아	유럽 배낭 30일 프랑스, 독일, 스위스, 오스트리아, 스페인 포함 11개국
출발일 5월 29일~8월 21일 일정 5박 7일 요금 2,090,000원 (왕복 항공권, 호텔 5박, 자유 여행을 제외한 일정의 입장료, 관람료, 식사, 여행자 보험) ∞ 파리 3일, 샤모니, 아를르 각 1일	출발일 5월 22일~9월 28일 (10인 이상 출발) 일정 8박 9일 요금 2,990,000원 (왕복 항공권, 호텔 7박, 전 일정 식사, 입장료 및 관람료, 여행자 보험, 공항세) ∞ 전 일정 기차로 이동, 가이드가 친절하게 모십니다	출발일 5월 1일~10월 31일 (2인 이상 출발) 일정 29박 30일 요금 4,090,000원 (왕복 항공권, 호텔 21박, 조식, 국제학생증, 여행자 보험, 여행 정보 책자, 열차 할인권 포함) ∞ 출발 전 오리엔테이션 실시

2 Read about traveling to Chuncheon and answer the questions.

한국에 와서 내가 제일 먼저 찾아간 여행지는 춘천이다. 드라마 '겨울 연가'를 찍은 곳이 춘천이라고 들었기 때문에 꼭 한번 가 보고 싶었다. 춘천의 유명한 관광지, 음식, 교통에 대해 인터넷으로 알아보았기 때문에 혼자 가는 것이 어렵지 않았다.

나는 우선 남이섬을 찾아갔다. 남이섬은 북한강에 있는 작은 섬인데, '겨울 연가'의 촬영지라서 외국인들도 많이 찾는다고 한다. 넓고 아름다운 숲이 인상적이었다. 나는 남이섬을 구경하고 춘천 시내로 가서 춘천의 대표적인 음식인 닭갈비를 먹었다.

아름다운 경치, 인기 있는 드라마, 그리고 맛있는 음식이 있는 곳. 춘천은 외국인들이 꼭 한번 가 볼 만한 곳이다.

1. Why did the person want to go to Chuncheon?

① 춘천이 아름다워서

② 닭갈비를 먹어 보고 싶어서

③ 드라마 촬영지를 보고 싶어서

2. Scan the reading and circle (True) or (False).

1) 나는 한국에 있는 동안 춘천에 여러 번 가 보았다.   T   F

2) 내가 춘천에서 제일 먼저 찾아간 곳은 남이섬이다.   T   F

3) 나는 춘천에서 혼자 여행하는 외국인을 많이 만났다.   T   F

4) 춘천은 외국인에게 추천하고 싶은 여행지이다.   T   F

쓰기 Writing

Suppose someone who plans to visit your hometown posted questions on the Internet. Write a reply introducing good places to visit in your country.

1. Which place would you like to recommend and why? Brainstorm some ideas.

> 여행지:
>
> 특징:

2. How can you grab the attention of foreign students? Write an introduction as shown in the example.

Ex.

안녕하세요? 저는 외국 학생들이 방학을 이용해 가 볼 만한 한국의 여행지를 소개하려고 합니다. 제가 가장 먼저 추천하고 싶은 곳은 제주도입니다.

3. Write a paragraph introducing good places to visit in your country using the
information above.

19세기 the 19th century	가이드 guide	강화도 Ganghwado Island
고생하다 to suffer from	공항세 airport taxes	관람료 admission fee
국제학생증 international student I.D.		글씨 handwriting
나이가 드시다 (polite) to become old		단풍 foliage
목욕(을) 하다 to bathe	보험 insurance	붙다 to be hung
상쾌하다 to be refreshing	성적 grade	속도 speed
숙소 accommodations	숲 forest	신라시대 Silla Era
싱싱하다 to be fresh	여행 정보 책자 guide book	여행지 travel destination
오래 long time	오리엔테이션 orientation	왕복 항공권 round-trip plane ticket
–을/를 찍다 to photograph	인상적이다 to be impressive	일주 a round
입원하다 to be hospitalized	입장료 entrance fee	자유 여행 free-roaming travel
전 일정 the whole schedule		제외하다 to exclude
지어지다 to be built	집을 보다 to look after the house	
촬영지 place where a drama/movie was filmed		추천하다 to recommend
탑 tower	퇴원하다 to be discharged	
피로가 풀리다 to be recovered from fatigue		피서를 가다 to vacation
회 sashimi (slices of raw fish)		

>>> Jejudo Island

● Where is the first place you want to visit when you go to Korea? Why is it?

● The following passage is about Jejudo Island, one of the main tourist spots in Korea. Read it carefully.

Jejudo, a volcanic island located in the southern part of Korea, was formed about 2 million years ago. The main tourist attractions on Jejudo Island, such as Mt. Hallasan, Seongsan Sunrise Peak and the lava tubes, have been acknowledged for their scientific, cultural, touristic and ecological value. They have been recognized by UNESCO and on June, 2007, registered under the name "Jeju Volcanic Island and Lava Tubes."

Not only the natural landscape but also the various museums are tourist spots. The Folklore Museum and Natural History Museum serve as great guides to the traditional history, customs and life on Jejudo Island. There are also many unusual museums, such as the Stone Museum, Butterfly Museum, World Motor Museum, Chocolate Museum, Africa Museum, Sorisum Museum and Teddy Bear Museum, which also attract many tourists.

Jejudo Island, due to its beautiful, exotic, natural landscape, such as the vast beaches, jade-colored ocean, palm trees and cacti, has been popular with Korean tourists. More recently, however, there has been a rapid increase in the number of foreign visitors because of the popularity of Korean dramas and movies filmed on Jejudo Island. It is also popular for the abundance of fresh seafood and unique local foods.

Visitors always leave wishing they had more time to enjoy the beautiful views and wonderful food. Those who visit Jejudo Island will not only experience its unique natural landscape and culture, but also experience another side of Korea that was not able to be reached before.

● What are some tourist spots in your country that foreigners like to visit? Tell the class.

>>> **자기 평가** Self-Assessment

Do you have a full understanding of what you have studied in this chapter? Assess your Korean using the table below and review the chapter again if necessary.

Assessment Items	Scale		
I can understand a conversation about a travel site.	Excellent	Good	Poor
I can talk about my travel experiences and write a passage recommending travel attractions.	Excellent	Good	Poor
I can introduce a travel package or read a text describing travel experiences.	Excellent	Good	Poor

19

병

학습 목표 Learning Objectives

Tasks 1. Listening to a pharmacist's advice
2. Talking to a doctor about symptoms
3. Reading drug dosage and first aid information
4. Writing about being ill

Vocabulary & Expressions Symptoms, wounds, medicine, medical treatment

Grammar −ㄴ 데다가, −자마자, −도록 하다, −씩

Culture Folk remedies

>>> **들어가기** Warm-up

● 여기는 어디입니까? 남자는 어디가 아플까요?

● 여러분은 언제 약국이나 병원을 이용합니까? 약국이나 병원에서는 무슨 이야기를 어떻게 해야
할까요?

Track **19**

1 **A doctor is examining a patient in the office.**

의사 어떻게 오셨습니까?

환자 배가 좀 아파요.

의사 한번 봅시다. 토하거나 설사하지는 않으셨습니까?

환자 설사는 했지만 토하지는 않았어요.

의사 언제부터 아프셨어요?

환자 점심에 생선회를 먹었는데 그게 좀 이상했나 봐요. 집에 가자마자 배가 아프기
시작했어요.

의사 다른 데는 불편하지 않으세요?

환자 배가 아픈 데다가 머리도 조금 어지러워요.

의사 알겠습니다. 처방전을 드릴 테니까 약을 드시고 내일 한 번 더 나오세요.
그리고 오늘은 죽을 드시도록 하세요.

2 **A woman who hurt her hand is talking to a pharmacist at a pharmacy.**

약사 어떻게 오셨어요?

환자 칼에 손을 베였는데 어떻게 해야 돼요?

약사 상처가 깊으면 병원에 가야 돼요. 어디 좀 볼까요?
음, 상처가 심하지는 않네요. 소독한 다음에 연고만 발라도 되겠어요.

환자 그럼 병원에는 안 가도 돼요?

약사 네, 병원에는 안 가셔도 되겠어요. 그렇지만 상처에 염증이 생길 수 있으니까
약도 함께 드시는 게 좋겠어요.

환자 약은 며칠이나 먹어요?

약사 2~3일 정도 드시면 될 거예요. 이 약은 식후에 두 알씩 드시고 이 연고는 상처에
자주 바르도록 하세요.

토하다 to vomit

생선회 sashimi (slices of raw fish)

처방전 prescription

베다 to cut

소독하다 to sterilize

염증 infection

알 tablet

바르다 to apply

설사하다 to have diarrhea

어지럽다 to feel dizzy

죽 porridge

깊다 to be deep

연고 ointment

식후 after meals

상처 wound

>>> 어휘 및 표현 Vocabulary & Expressions

1 증세 Symptoms

배탈이 나다 to have an upset stomach

체하다 to have dyspepsia

설사를 하다 to have diarrhea

머리가 아프다 to have a headache

소화가 안 되다 to have poor digestion

토하다 to vomit

어지럽다 to feel dizzy

열이 심하다 to have a high fever

2 외상 Wounds

다치다 to get hurt

칼에 베이다 to get cut

벌레에 물리다 to get bitten by bugs

손이/다리가 붓다 (hands/legs) to be swollen

뼈가 부러지다 to fracture a bone

상처가 나다 to get wounded

피가 나다 to bleed

불에 데다 to get burned

◉— 연습 (Practice)

Fill in each blank with an appropriate word or expression from the box. Change the form if necessary.

어지럽다	설사를 하다	칼에 베이다	뼈가 부러지다	벌레에 물리다

1 점심에 먹은 음식이 상했었나 봐요. 점심을 먹은 후부터 계속 _____.

2 머리가 아프고 _____ 걷기가 힘듭니다.

3 계단에서 넘어져서 _____.

4 과일을 깎다가 _____.

3 약 Medicine

소화제 digestant   진통제 pain reliever

해열제 fever reducer   감기약 cold medicine

멀미약 anti-motion sickness medicine   소독약 disinfectant

연고(를 바르다) to apply ointment   밴드(를 붙이다) to put on a band-aid

파스(를 붙이다) to put on a cataplasm

◉— 연습 (Practice)

Match the health problem on the left to its related medicine on the right.

1 체했을 때   ●   ●   ① 소화제

2 다쳐서 상처가 났을 때   ●   ●   ② 해열제

3 열이 높을 때   ●   ●   ③ 진통제

4 머리나 이가 아플 때   ●   ●   ④ 소독약

4 치료 Medical Treatment

진찰을 받다 to be examined   치료를 받다 to be treated

주사를 맞다 to get a shot   수술하다 to operate

입원하다 to be hospitalized   퇴원하다 to be discharged

Fill in each blank with an appropriate word or expression from the box. Change the form if necessary.

| 진찰을 받다 | 치료를 받다 | 주사를 맞다 | 수술하다 | 입원하다 |

1 음식을 하다가 손등을 약간 데었습니다. 병원에 가서 _____.

2 배가 아파서 의사 선생님한테 _____ 후에 약국에 갔습니다.

3 친구가 교통사고로 병원에 _____. 1주일 동안 병원에 있어야 한대요.

4 어린이나 노인들은 독감에 걸리지 않도록 미리 _____ 것이 좋습니다.

5 유용한 표현 Useful Expressions

증상이 어때요? What are your symptoms?

어디가 어떻게 아프세요? Where does it hurt?

이 약을 어떻게 먹어야 돼요? How should I take this medicine?

알약은 몇 개씩 먹어요? How many tablets do I take?

식후에 두 알씩 드세요. Take two tablets after meals.

특별히 조심해야 할 것이 있어요? Is there anything I need to be careful about?

상처에 물이 들어가지 않도록 조심하세요.

Make sure your wounds do not come in contact with water.

◉— 연습 (Practice)

Complete each dialog by choosing the appropriate sentence for each blank.

1 가: _____

　　나: 열이 나고 기침을 해요.

　　① 언제부터 그렇게 아팠어요?

　　② 어디가 어떻게 아프세요?

2 가: 이 약을 어떻게 먹어야 돼요?

　　나: _____

　　① 약을 먹고 주사를 맞으세요.

　　② 식후에 두 알씩 드세요.

3 가: _____

나: 상처에 물이 들어가지 않도록 조심하세요.

① 특별히 조심해야 할 것이 있어요?

② 증상이 어떠세요?

>>> ## 문법 Grammar

1 -ㄴ 데다가

When "-ㄴ 데다가" is attached to a verb, adjective or the "noun-이다" form, it means *in addition to an action or a situation*. It is used when a speaker wants to emphasize that a stronger action or a situation is coming after the current action or situation. If the first part of the sentence is positive then a positive part follows, and if the first part is negative then the latter part will be negative.

■ **The Present·Future Tense**

1) For a verb or "있다/없다" adjective, "-는 데다가" is attached to the end of the stem.

2) For an adjective or the "noun-이다" form,

   a) if the stem ends in a vowel or "ㄹ," "-ㄴ 데다가" is used.

   b) if the stem ends in a consonant other than "ㄹ," "-은 데다가" is used.

■ **The Past·Past Perfect Tense**

For a verb, a) if the stem ends in a vowel or "ㄹ," "-ㄴ 데다가" is used.

        b) if the stem ends in a consonant other than "ㄹ," "-은 데다가" is used.

1 가: 아기가 어떻게 아파요?

  나: 열이 높은 데다가 기침까지 많이 해요.

2 가: 많이 피곤해 보이네요. 무슨 일이 있어요?

  나: 감기에 걸린 데다가 어제 잠도 못 자서 그래요.

3 가: 졸업하고 취직할 수 있을지 걱정이에요.

  나: 수진 씨는 영어를 잘하는 데다가 컴퓨터도 잘하니까 어렵지 않을 거예요.

4 가: 민호 씨는 인기가 많은 것 같아요.

  나: 네. 인상이 좋은 데다가 성격도 좋아서 사람들이 좋아해요.

Complete each dialog by using "–ㄴ 데다가."

1 가: 안색이 안 좋아요. 어디 아파요?

   나: _____.

2 가: 왜 이렇게 늦었어요?

   나: _____ 늦었어요.

3 가: 오늘 왜 비행기가 출발하지 못했다고 해요?

   나: 눈이 많이 _____ 그랬대요.

4 가: 어제 본 한국 영화는 이해하기가 어려웠지요?

   나: 네, _____ 어려웠어요.

Why do you think the following situations occurred? Discuss the reasons by using "–ㄴ 데다가."

1 감기에 걸렸다.   2 돈을 다 썼다.

3 몸살이 났다.   4 약속 시간에 늦었다.

2 –자마자

When "–자마자" is attached to a verb stem, it signifies "right after an action has happened." It is used to show that one action happened right after another one.

1 가: 약을 먹었어요?

   나: 네, 병원에서 나오자마자 사 먹었어요.

2 가: 그 교통사고 환자는 어떻게 됐어요?

   나: 병원에 도착하자마자 수술을 받아서 괜찮아졌대요.

3 가: 수진 씨는 어디 있어요?

   나: 친구한테서 전화를 받자마자 뛰어나갔어요.

4 가: 몇 시쯤 전화할 거예요?

   나: 집에 도착하자마자 전화할게요.

◉— 연습 1(Practice 1)

Complete each dialog by using "–자마자."

1 가: 아기가 토했어요?

나: 네. 우유를 _____.

2 가: 아직도 배가 아파요?

나: 아니요, 소화제를 _____.

3 가: 오늘 수업이 끝나고 나서 농구할래요?

나: 안 돼요. 어머니가 입원하셔서 수업이 _____.

4 가: 오늘 퇴원하면 바로 밥을 먹을 수 있을까요?

나: 물론이지요. _____ 바로 밥을 먹을 수 있어요.

◉— 연습 2(Practice 2)

Tell your partner about four things that you have recently done by using "–자마자."

3 –도록 하다

When "–도록 하다" is attached to a verb stem, it signifies an indirect command or a pleasant request. It is used mostly in imperative or propositive sentences.

1 가: 눈이 가렵고 아파요.

나: 요즘 눈병이 유행이에요. 빨리 병원에 가도록 하세요.

2 가: 어떤 음식을 주의해야 해요?

나: 맵거나 짠 음식은 먹지 말도록 하세요.

3 가: 이 일을 오전에 끝내도록 합시다.

나: 그래요. 빨리 합시다.

4 가: 오늘 회의는 몇 시까지 가면 돼요?

나: 예정대로 하니까 늦지 않도록 하세요.

Complete each dialog by using "–도록 하다."

1 가: 내일도 병원에 와야 하나요?

　나: 네. 이 약을 드시고 내일 한 번 더 _____.

2 가: 이 보고서는 언제까지 끝내야 합니까?

　나: 좀 급하니까 다음 주 월요일까지 _____.

3 가: 오늘은 밥을 먹으면 안 되나요?

　나: 그러면 또 설사를 할 테니까 오늘은 _____.

4 가: 언제쯤 운동을 할 수 있을까요?

　나: 운동을 하는 게 회복에 도움이 되니까 오늘부터 _____.

◉— 연습 2(Practice 2)

Suppose your friend is in the following situations. Give him/her advice using "–도록 하다."

1 코피가 계속 난다.　　　　2 발목이 많이 부었다.

3 열이 심하게 난다.　　　　4 밤에 잠이 안 온다.

4 –씩

When "–씩" is attached to a number or a quantity, it signifies *each per that number*.

1 가: 이 약은 어떻게 먹어야 돼요?

　나: 식전에 한 알씩 드세요.

2 가: 운동은 얼마나 자주 하는 것이 좋아요?

　나: 건강을 유지하려면 하루에 30분씩, 일주일에 세 번 이상 운동하세요.

3 가: 아이에게 한 달 용돈을 얼마나 줘요?

　나: 한 달에 20,000원씩 줘요.

4 가: 운전을 계속해서 여섯 시간이나 하고 와서 너무 피곤해요.

　나: 운전할 때는 한 시간마다 10분씩 쉬는 것이 좋다고 해요.

⊙— 연습 1(Practice 1)

Complete each dialog by using "–씩."

1 가: 이 물약은 어떻게 먹어야 돼요?

　나: 식후에 _____.

2 가: 이 연고를 하루에 _____.

　나: 알겠습니다.

3 가: 한국어 수업은 하루에 몇 시간이에요?

　나: 오전 10시부터 12시까지 _____.

4 가: 차가 두 대 있는데 어떻게 나누어 탈까요?

　나: 모두 8명이니까 _____.

⊙— 연습 2(Practice 2)

How often/much should the following actions be done? Discuss your answers with your partner by using "–씩."

1 건강 검진을 받다　　　　　2 물을 마시다

3 운동을 하다　　　　　　　4 잠을 자다

>>> **대화 연습** Conversation Drill

The following is a conversation between a doctor and a patient. Practice the conversation with a partner and then do it again using the information below.

환자의 증상	• 목이 아프고 열이 난다.
	• 기침이 심한 편이다.
의사의 진단	• 감기이다.
	• 목이 많이 부었다.
의사의 처방	• 하루에 세 번씩 약을 먹는다.
주의 사항	• 손을 자주 씻고 따뜻한 물을 많이 마신다.

의사 어떻게 오셨습니까?

환자 목이 아픈 데다가 열도 나요.

의사 어디 봅시다. 감기에 걸리셨네요. 목이 많이 부었어요. 기침은 안 하세요?

환자 기침도 심한 편이에요.

의사 약을 처방해 드릴 테니까 하루에 세 번씩 식후에 드시도록 하세요.

환자 특별히 주의해야 할 것은 없나요?

의사 손을 자주 씻고 따뜻한 물을 많이 마시도록 하세요.

1

환자의 증상	• 토하고 설사를 한다.
	• 어지럽다.
의사의 진단	• 체했다.
의사의 처방	• 소화제를 두 알씩 먹는다.
주의 사항	• 밥을 먹지 말고 죽을 먹는다.
	• 물을 많이 마신다.

2

환자의 증상	• 발목이 부었다.
	• 무릎도 아프다.
의사의 진단	• 뼈는 괜찮다.
의사의 처방	• 진통제를 한 알씩 먹는다.
	• 파스를 붙인다.
주의 사항	• 움직이지 말고 찜질을 한다.

듣기 Listening   Track 19

The following conversation takes place at a pharmacy. Listen carefully and answer the questions.

1. Choose all the symptoms the patient has.

① 소화가 안 된다.

② 토한다.

③ 설사를 한다.

④ 어지럽다.

2. What should the patient do?

① 집에 가서 바로 약을 먹어야 한다.

② 어지러우면 병원에 가야 한다.

③ 저녁 식사는 하지 않는 것이 좋다.

말하기 Speaking

Practice conversations between a doctor and a patient using the following situations.

1. 1) What does the patient complain of? Look at the picture and mark (✓) all the symptoms the person may have.

〈증상〉

☐ 어지럽다
☐ 배가 아프다
☐ 토하다
☐ 열이 나다

2) Role-play a doctor and a patient discussing symptoms and their proper treatment using the following information.

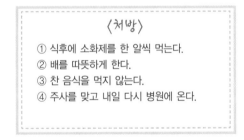

〈처방〉

① 식후에 소화제를 한 알씩 먹는다.
② 배를 따뜻하게 한다.
③ 찬 음식을 먹지 않는다.
④ 주사를 맞고 내일 다시 병원에 온다.

2. 1) What does the patient complain of? Look at the picture and mark (✓) all the symptoms the person may have.

〈증상〉

☐ 손을 베이다
☐ 뼈가 부러지다
☐ 피가 많이 나다
☐ 발이 붓다

2) Role-play a pharmacist and a patient discussing symptoms and their proper treatment using the following prescription.

〈처방〉

① 상처를 소독하고 연고를 바른다.
② 밴드를 붙인다.
③ 염증이 생기지 않도록 식후 두 알씩 약을 먹는다.

 읽기 Reading

1 The following is information about drug dosage. Read it carefully and circle (T)(True) or (F)(False).

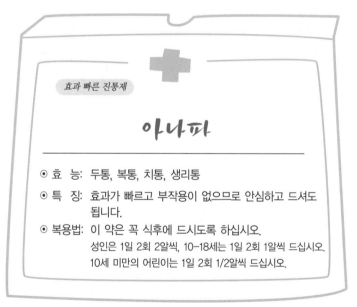

효과 빠른 진통제

아나피

⊙ 효 능: 두통, 복통, 치통, 생리통
⊙ 특 징: 효과가 빠르고 부작용이 없으므로 안심하고 드셔도 됩니다.
⊙ 복용법: 이 약은 꼭 식후에 드시도록 하십시오.
성인은 1일 2회 2알씩, 10-18세는 1일 2회 1알씩 드십시오.
10세 미만의 어린이는 1일 2회 1/2알씩 드십시오.

1) 배가 아프거나 이가 아플 때 먹으면 좋다.　　(T)　(F)
2) 이것은 식전에 먹는 약이다.　　(T)　(F)
3) 어른은 하루에 한 번 두 알씩 먹어야 한다.　　(T)　(F)
4) 15세 청소년은 하루에 두 번 한 알씩 먹어야 한다.　　(T)　(F)

2 The following passage is about first aid. Read it carefully and circle T (True) or F (False).

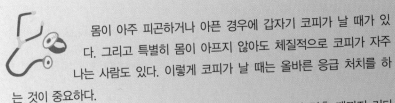

몸이 아주 피곤하거나 아픈 경우에 갑자기 코피가 날 때가 있다. 그리고 특별히 몸이 아프지 않아도 체질적으로 코피가 자주 나는 사람도 있다. 이렇게 코피가 날 때는 올바른 응급 처치를 하는 것이 중요하다.

코피가 날 때는 우선 손가락으로 코를 가볍게 잡고 코피가 멈출 때까지 기다리는 것이 좋다. 어떤 사람들은 머리를 뒤로 하여 코피가 흐르지 않도록 하는데 이는 잘못된 상식이다. 코피가 났을 때 누워서 쉬는 것도 잘못된 방법이다. 코피가 목구멍으로 넘어가 숨이 막힐 수 있기 때문이다.

1) 몸이 아프지 않은 사람도 코피가 날 수 있다.　　　T　　F

2) 몸이 약한 사람이 코피가 자주 난다.　　　T　　F

3) 코피가 날 때 머리를 뒤로 해야 한다.　　　T　　F

4) 코피가 날 때는 코를 가볍게 잡는 것이 좋다.　　　T　　F

 쓰기 Writing

Write about when you were most ill.

1. When did it happen and what were your symptoms?

2. How did you get better?

3. Write about being ill using the information above.

New Words & Expressions 2

가렵다 to be itchy	건강 검진 medical check-up	계단 staircase
기침을 하다 to cough	깎다 to cut, to shave	넘어가다 to go down
노인 the aged	눈병 eye infection	도움이 되다 to be helpful
독감에 걸리다 to catch the flu		멈추다 to stop
목구멍 throat	몸살이 나다 to ache	무릎 knee
물약 syrup medicine	미만 under, below(excluding the number)	
발목 ankle	부작용 side effect	붓다 to swell
뼈 bone	상식 common sense	상하다 to be spoiled
성인 adult	손등 back of the hand	수술을 받다 to have a surgery
숨이 막히다 to be suffocated	안색이 좋다 to look well	안심하다 to be relieved
열이 높다 to have a high fever		예정 previous arrangement
올바르다 to be appropriate	용돈 allowance	유지하다 to maintain
응급처치 first aid	잘못되다 to be incorrect	증상 symptom
찜질을 하다 to apply heat	처방하다 to prescribe	체질적으로 constitutionally
코피가 나다 to have a nosebleed		환자 patient
회복 recovery	효과 effect	효능 benefit
흐르다 to run down, to flow		

문화 Culture

>>> Folk Remedies

● Have you heard of folk remedies? Say what you know of folk remedies.

● The following passage is about folk remedies. Read it carefully.

> When people get sick, they usually visit the pharmacy or the doctor's office (hospital). However, some people do not take any medicine, and instead try to treat their illnesses with special foods or natural cures. These types of remedies are called alternative medicine. The most well-known type of alternative medicine is folk remedies. They have been passed down from generation to generation over time.
>
> The most common folk remedy for the common cold is to eat bean sprout soup with red pepper powder. For swollen tonsils from a sore throat, people drink ginger or citron tea, and for coughs, people boil pears and drink the juice. In addition, a common remedy for diarrhea in the summertime is apricot tea, and for indigestion, many people prick a finger to draw a small amount of blood.

● Introduce the folk remedies used in your country.

Do you have a full understanding of what you have studied in this chapter? Assess your Korean using the table below and review the chapter again if necessary.

Assessment Items	Scale		
I can understand a doctor's orders.	Excellent	Good	Poor
I can explain to a doctor or a pharmacist my symptoms.	Excellent	Good	Poor
I can read and write briefly about symptoms and prescriptions.	Excellent	Good	Poor

학습 목표 Learning Objectives

Tasks 1. Listening to and understanding conversations about work
2. Making plans for work
3. Reading work documents and a passage about ways to communicate at work
4. Writing successfully a work-related document

Vocabulary & Expressions Work, departments & duties, document papers, discussion-related vocabulary

Grammar –(으)ㄹ까 봐, –다 보면, –는 게 좋겠다

Culture Workplace etiquette in Korea

- 여기는 어디입니까? 이 사람들은 지금 무엇을 하고 있을까요?
- 여러분은 의논할 일이 있으면 주로 누구와 이야기를 합니까? 어떤 문제에 대해서 이야기를 합니까?

1 Employees are getting instructions from their manager.

팀장 생산부 연수 프로그램 일정이 9월 10일로 정해졌어요.
이번 프로그램은 이정훈 씨와 바트 씨가 맡아서 준비해 보세요.

정훈 네, 알겠습니다. 행사 장소는 정해졌습니까?

팀장 아니요. 장소도 사람들이 모이기 좋은 곳으로 몇 군데 알아보는 게 좋겠어요.

정훈 네, 장소를 알아보고, 행사 순서도 한번 만들어 보겠습니다.

팀장 좋아요. 다음 주 월요일쯤 행사 기획안을 가지고 회의할 테니까 준비하세요.
생산부에 외국인들이 많으니까 바트 씨가 아이디어를 많이 내 보세요.

바트 네, 열심히 해 보겠습니다.

팀장 작년에 이영미 대리가 담당한 일이니까 같이 의논하면 도움이 될 거예요.

2 Office workers are having a meeting.

바트 저, 이 대리님. 의논 드리고 싶은 게 있는데요.

영미 네, 무슨 일인데요? 말씀하세요.

바트 제가 이번에 이정훈 씨하고 같이 연수 프로그램 기획을 맡게 되었는데요.
지난번에는 이 대리님이 이 일을 담당했다고 들어서요.

영미 아, 그거요? 저도 팀장님한테 이야기 들었어요. 제가 도울 일이 있으면
도울게요.

바트 고마워요. 그럼 혹시 지난번 자료를 좀 볼 수 있을까요?

영미 그럼요. 연수 프로그램 자료하고 회의록을 찾아서 줄게요.

바트 이렇게 큰 행사를 담당하는 게 처음이에요. 실수라도 할까 봐 걱정이 돼요.

영미 열심히 준비하다 보면 자신이 생길 거예요. 너무 걱정하지 마세요.

생산부 production department	연수 프로그램 training program	맡다 to take charge of
모이다 to gather	순서 order	기획안 proposal
아이디어를 내다 to present ideas	담당하다 to be in charge of	의논하다 to discuss
기획을 맡다 to plan	팀장 team manager/leader	그럼요 of course
회의록 minutes	실은 in fact	
자신이 생기다 to gain confidence		

>>> ## 어휘 및 표현 Vocabulary & Expressions

1 업무 Work

업무 work	회의 meeting
외근 outside duty	출장 business trip
행사 event	회식 company dinner
결재 approval	업무 보고 work report
기획하다 to plan	지시하다 to instruct
담당하다 to be in charge of	처리하다 to handle, to process
보고하다 to report	결재하다 to approve

⊙— 연습 (Practice)

Fill in each blank with an appropriate word from the box. Change the form if necessary.

회식	출장	업무	보고	담당하다	지시하다	처리하다

1 김진우 씨는 회사에서 외국인 교육을 _____.

2 사장님은 직원들에게 안전에 주의하라고 _____.

3 부서 _____ 을/를 내일 저녁에 회사 앞 불고기집에서 한다고 합니다.

4 다음 주에 지방으로 _____ 을/를 가기 때문에 이번 주까지 이 일을 끝내야 해요.

2 부서와 직책 Departments & Duties

인사부 personnel department	기획부 planning department
영업부 sales department	생산부 production department
재무부 accounting department	홍보부 promotion department
총무부 general affairs department	비서실 secretary's office
사원 staff	대리 assistant manager
팀장 team manager	과장 section chief
차장 deputy chief	부장 general manager
이사 director	사장 the president

◉— 연습 (Practice)

Match each department on the left to its definition on the right.

1 기획부 •   • ① 제품을 만들고 관리한다.

2 인사부 •   • ② 사업 계획을 세운다.

3 생산부 •   • ③ 직원의 승진, 급여를 관리한다.

4 영업부 •   • ④ 제품을 팔기 위한 업무를 한다.

3 서류 Document Papers

문서 document	공문 official document
서식 form	회의록 minutes
기획안 proposal	계약서 contract
보고서 report	업무 일지 daily work logs
팩스 fax	기밀 문서 confidential document
작성하다 to write out	제출하다 to submit
서류철을 하다 to file documents	

⊙— 연습 (Practice)

Fill in each blank with an appropriate word or expression from the box. Change the form if necessary.

| 서식 | 공문 | 계약서 | 작성하다 | 서류철을 하다 |

1 업무 보고서를 제출할 때에는 정해진 _____ 맞게 하는 것이 좋아요.
2 다음 주까지 기획안을 _____ 부장님께 보고 드려야 합니다.
3 입사하게 되면 고용 기간, 근로 내용에 대해 정한 _____ 쓰게 됩니다.
4 생산부 직원들은 9월 10일 연수 프로그램에 참여하라고 _____ 왔어요.

4 의논 관련 어휘 Discussion-Related Vocabulary

의논하다 to discuss　　　　　　　상담하다 to consult
조언하다 to give advice　　　　　조언을 구하다 to ask for advice
제안하다 to suggest　　　　　　　의견이 있다/없다 to have an/no opinion
문제를 해결하다 to solve a problem　결정하다 to decide
찬성하다 to approve　　　　　　　반대하다 to oppose

⊙— 연습 (Practice)

Fill in each blank with an appropriate word from the box. Change the form if necessary.

| 의논하다 | 조언하다 | 제안하다 | 찬성하다 | 해결하다 |

1 의사는 나에게 건강을 위해서 담배를 끊으라고 _____.
2 나는 과장님께 이번 워크숍은 공기 좋은 곳으로 가자고 _____.
3 어려운 일이 있을 때마다 부모님의 도움을 받아 문제를 _____.
4 어려운 일이 있을 때에는 선배나 동료와 _____ 것이 좋다.

5 유용한 표현 Useful Expressions

의논을 드리고 싶은 게 있는데요. I have something that I'd like to discuss with you.
제가 이런 일을 처음 해 봐서 걱정이 됩니다.
I'm concerned because it is my first time doing this type of work.

제 생각에는 장소를 바꾸는 것이 좋겠습니다.
In my opinion, it would be better to change the venue.

제가 보기에는 그 문제가 쉽게 해결될 것 같지 않습니다.
I don't think this problem will be solved that easily.

또 다른 의견이 있습니까? Are there any other opinions?

저는 좀 다른 생각을 가지고 있는데요. I have a slightly different opinion.

⊙— 연습 (Practice)

Complete each dialog by choosing the appropriate sentence for each blank.

1 가: _____

나: 무슨 일인데요?

① 의논했는데요.

② 의논을 드리고 싶은 게 있는데요.

2 가: _____

나: 열심히 하다 보면 자신이 생길 거예요.

① 이런 일을 처음 해 봐서 걱정이 돼요.

② 저는 좀 다른 생각을 가지고 있는데요.

3 가: 행사는 회사 1층 로비에서 하는 게 좋을 것 같아요.

나: 네, _____

다: 제 생각에는 장소를 역 근처로 하는 게 좋겠는데요.

① 무슨 일인데요?

② 또 다른 의견이 있습니까?

>>> **문법** Grammar

1 −(으)ㄹ까 봐

When "−(으)ㄹ까 봐" is attached to a verb, adjective or the "noun−이다" form, it indicates that the speaker is worried that a certain thing might happen. Because of the meaning, it is often used as "−(으)ㄹ까 봐 걱정이다/고민이다" or "−(으)ㄹ까 봐 (걱정되어서) ~하다."

a) If the stem ends in a vowel or "ㄹ," "−ㄹ까 봐" is used.

b) If the stem ends in a consonant other than "ㄹ," "−을까 봐" is used.

1 가: 행사 기획안은 어떻게 됐어요?

　나: 조금 전에 부장님께 갖다 드렸어요. 다시 해 오라고 하실까 봐 걱정이에요.

2 가: 이 일을 처음 하는 사람들이 많아서 마무리가 늦어질까 봐 걱정입니다.

　나: 지금처럼 진행되면 큰 문제는 없을 것 같으니까 너무 걱정하지 마세요.

3 가: 이제 곧 제가 발표해야 되는데 실수할까 봐 너무 긴장돼요.

　나: 열심히 준비했으니까 잘하실 거예요. 긴장하지 마세요.

4 가: 왜 이렇게 빨리 왔어요?

　나: 지각할까 봐 한 시간이나 일찍 출발했거든요.

⊙— 연습 1(Practice 1)

Complete each dialog by using "–(으)ㄹ까 봐."

1 가: 행사 준비는 잘 되고 있어요?

　나: 열심히는 하는데 부장님께서 ＿＿＿＿＿＿＿＿＿＿＿.

2 가: 사람들이 이렇게 많이 모일 줄 몰랐어요. 이번 행사는 정말 잘된 것 같네요.

　나: ＿＿＿＿＿＿＿＿＿＿＿ 며칠 동안 잠도 잘 못 잤어요.

3 가: 왜 그렇게 조금만 먹어요?

　나: ＿＿＿＿＿＿＿＿＿＿＿ 걱정이 되어서요.

4 가: 무슨 걱정이라도 있어요? 얼굴색이 안 좋아요.

　나: 이번 시험에 ＿＿＿＿＿＿＿＿＿＿＿.

⊙— 연습 2(Practice 2)

Are you worried or concerned about the following matters? What do you do to dispel your worries? Using "–(으)ㄹ까 봐," talk with your partner as shown in the example.

> **Ex.**
>
> 한국어능력시험에 떨어질까 봐 정말 걱정이에요.
>
> 한국어능력시험에 떨어질까 봐 매일 밤늦게까지 공부해요.

1 한국어 공부　　　　　　　2 장래 희망이나 진로

3 친구나 가족　　　　　　　4 일상생활

2 –다 보면

When "–다 보면" is attached to a verb stem, it signifies *during the process of a continued or repeated action*. It also signifies that during the process of an action in the preceding clause, another action in the following clause either happens automatically or new facts are discovered. The second clause cannot contain the past tense. "–다가 보면" can also be used.

1 가: 이런 일을 처음 해 보기 때문에 걱정이 많아요.
   나: 일을 하다 보면 방법을 알게 될 거예요. 걱정하지 마세요.

2 가: 한국어를 1년이나 배웠는데 아직도 발음이 정확하지 않아요.
   나: 너무 걱정하지 마세요. 열심히 연습하다 보면 좋아질 거예요.

3 가: 어제 같이 사는 친구하고 크게 싸웠는데 어떻게 해야 할지 모르겠어요.
   나: 살다 보면 싸울 때도 있지요. 빨리 화해하세요.

4 가: 우체국이 어느 쪽에 있어요?
   나: 이 길로 500미터쯤 가다 보면 오른쪽에 우체국이 보일 거예요.

⊙— 연습 1(Practice 1)

Complete each dialog by using "–다 보면."

1 가: 회의실이 어디에 있어요?
   나: 이쪽으로 _____ 오른쪽에 있어요.

2 가: 한국어 공부를 시작한 지 6개월이 지났는데도 실력이 안 늘어요.
   나: _____ 실력이 늘 거예요. 걱정하지 마세요.

3 가: 아무리 운동을 해도 살이 안 빠져요.
   나: _____ 살이 빠질 거예요.

4 가: 외국어를 배우는 것도 어렵지만 외국 문화를 배우는 것은 더 어려운 것 같아요.
     어떻게 하면 그 문화에 익숙해질까요?
   나: _____ 익숙해질 거예요.

Suppose you have a friend who is worried about the matters below. Try to encourage him/her using "-다 보면."

1 한국어 공부를 열심히 하는데 실력이 늘지 않는다.
2 취업하려고 원서를 많이 냈는데 합격 소식이 오지 않는다.
3 취직한 지 오래 됐는데 아직도 일이 서툴다.
4 회사 동료들과 성격이 달라서 너무 힘들다.

3 -는 게 좋겠다

When "-는 게 좋겠다" is attached to a verb stem, it expresses the speaker's thoughts that the action is appropriate. It is often used when giving advice or making suggestions.

1 가: 모임 장소로 교통이 편리한 곳을 찾는데 어디가 좋을까요?
　나: 역 근처로 정하는 게 좋겠어요. 사람들이 찾아오기 쉬우니까요.

2 가: 누가 부장님께 말씀 드리는 게 좋을까요?
　나: 부장님께서 저한테 지시하셨으니까 제가 말씀 드리는 게 좋겠어요.

3 가: 건강을 위해서 담배를 끊는 게 좋겠어요.
　나: 노력하는데도 잘 안 되네요.

4 가: 오늘 저녁 회식에 갈 거죠?
　나: 저는 오늘 빠지는 게 좋겠어요. 몸이 좀 안 좋아서요.

◉— 연습 1 (Practice 1)

Complete each dialog by using "-는 게 좋겠다."

1 가: 회의를 어디에서 할까요?
　나: 조용히 이야기할 수 있게 _____.

2 가: 과장님 댁에 과일을 사 갈까요, 음료수를 사 갈까요?
　나: _____.

3 가: 우산을 가져가야 될까요?

　　나: 날씨가 흐리니까 ＿＿＿＿＿＿＿＿＿＿＿＿＿＿＿.

4 가: 주말에 회사에서 등산을 가는데 샌드위치를 만들어 갈까요?

　　나: 샌드위치보다 ＿＿＿＿＿＿＿＿＿＿＿＿＿＿.

◉— 연습 2 (Practice 2)

What would you say to a friend who is asking for your advice in the following situations? Tell your partner by using "–는 게 좋겠다."

1 토요일이 어머니 생신이다. 그런데 돈이 조금밖에 없다.

2 한국에서 중요한 손님이 온다. 그 손님에게 관광 안내를 해야 한다.

3 목요일에 학교 시험이 있다. 그런데 지원한 회사에서 면접을 보러 오라고 한다.

4 과장님이 지시하신 일이 너무 어렵다. 혼자서는 처리할 수 없을 것 같다.

>>> **대화 연습** Conversation Drill

Two people are discussing preparations for an event. Practice the conversation with a partner and then do it again using the information below.

＊ 부서 신입사원 연수 ＊
• 장소: 역 근처
• 시간: 오후 4시~6시
• 준비 사항: 장소 예약, 다과,
　　　　　　 초청장

타나카 다음 주에 있을 부서 신입사원 연수를 준비하게 되었는데요.
어디서 하는 게 좋을까요?

수 미 글쎄요, 제 생각에는 교통이 편리한 곳으로 정하는 게 좋겠는데요.

타나카 그럼 역 근처에 괜찮은 장소가 있는지 알아볼게요.
시간은 네 시 정도에 하면 되겠죠?

수 미 행사가 두 시간 정도 걸릴 테니까 네 시에 시작하면 괜찮을 것 같네요.
그런데 끝나면 저녁 시간이네요. 저녁 식사도 같이 할 계획이에요?

타나카 아니요, 그냥 간단한 다과를 준비할 계획이에요.
음……, 장소하고 다과 예약하고, 또 무슨 준비가 필요할까요?

수 미 초청장도 준비해야 해요. 초청 명단은 팀장님과 의논하는 게 좋을 거예요.

타나카 이런 행사는 처음이라서 실수할까 봐 걱정이에요.
앞으로도 모르는 것이 생기면 도움을 부탁 드릴게요.

수 미 준비하다 보면 요령이 생길 거예요. 저도 도울 테니까 너무 걱정하지 마세요.

1

＊ 신입사원 환영회 ＊
• 장소: 회사 근처
• 시간: 오후 6~9시
• 준비 사항: 식당 예약, 선물

2

＊ 부서 업무 계획 발표회 ＊
• 장소: 회사 안
• 시간: 오전 10시~12시
• 준비 사항: 발표 장소,
　　　　　　　발표지 복사, 음료수

>>> **과제** Tasks

 듣기 Listening　　　　　　　　　　　　　　　　◀Track **20**

Listen to the following conversation and answer the questions.

1. Think about what training workshops for employees are for and how they are run.

2. Two people are discussing a department training conference. Listen carefully and circle T (True) or F (False).

1) 남자는 연수 계획에 대해 잘 알고 있다.   T   F

2) 연수회는 교육과 친교의 시간으로 구성된다.   T   F

3) 여자는 가까운 장소를 희망한다.   T   F

4) 남자는 여자의 의견에 찬성한다.   T   F

 말하기 Speaking

Suppose you are organizing a training workshop for foreign employees at a Korean company. What kind of programs would be appropriate? Plan a program with your partner.

1. Think about where and how the workshop should be held and write your ideas in the space below.

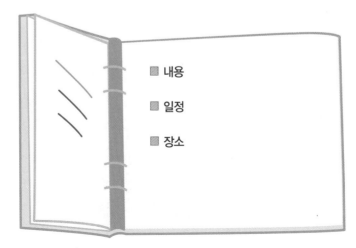

▨ 내용

▨ 일정

▨ 장소

2. Discuss your ideas with your partner.

 읽기 Reading

1 The following is a fax. Read it carefully and circle T(True) or F(False).

㈜한국전자

서울시 종로구 52번지 / 전화 02-123-0001(~6) / 팩스 02-123-0009

수신: 서울 쇼핑

발신: 한국전자 영업부 김민수 과장

날짜: 2009년 5월 7일

제목: 주문이 접수되었습니다.

귀사의 발전을 기원합니다.

저희 한국전자의 제품을 이용해 주셔서 감사합니다.

5월 7일자 주문이 잘 접수되었습니다. 접수 번호는 JI-2975
입니다.

주문하신 물건은 5월 14일 이전에 도착할 것입니다.

문의할 내용이 있으시면 언제든지 저희 영업부로 연락 주시기
바랍니다.

감사합니다.

1) 영업부에서 보낸 문서이다.   T F

2) 한국전자가 제품을 주문했다.   T F

3) 5월 14일 전에 주문한 물건을 받을 수 있다. T F

4) 서울 쇼핑에 주문을 요청하고 있다.   T F

2 The following passage is about communication in the workplace. Read it carefully and circle ⓣ(True) or ⓕ(False).

직장 생활을 잘하려면 대화의 방법에 대해 관심을 가질 필요가 있다. 성공적인 직장인들의 대화법을 몇 가지 소개한다.

첫째, 윗사람과 이야기할 때는 먼저 "네"라고 대답하고 그 다음에 자기 의견을 이야기한다. 긍정적인 태도를 보여 주는 것이 중요하기 때문이다.

둘째, 불필요한 말은 하지 않는다. 회의 시간에 늦었으면 "죄송합니다.", 실수를 했으면 "다음부터 주의하겠습니다."라고 필요한 말만 하는 것이 좋다.

셋째, 윗사람이 묻기 전에 미리 보고한다. 일을 다 마친 후에 보고하면 잘못이 있어도 고치기 힘들다. 중간에 보고하면 일을 더 잘 처리할 수 있게 된다.

넷째, 동료들 사이에서는 칭찬을 자주 하는 것이 좋다. 칭찬을 들으면 누구나 일을 더 잘하게 된다. 칭찬하는 사람이 많아지면 직장 분위기도 좋아진다.

1) 자기 의견을 먼저 말해야 한다.　　　ⓣ　ⓕ
2) 필요 없는 말은 하지 않는다.　　　　ⓣ　ⓕ
3) 일이 끝나기 전에 보고하는 게 좋다.　ⓣ　ⓕ
4) 직장에서는 칭찬을 자주 하면 안 된다.　ⓣ　ⓕ

 쓰기 Writing

1. You are to send out an official e-mail announcing a training workshop for all company employees. Write down the information about the training conference from the previous speaking exercise.

내용:

일정:

장소:

2. How should an official e-mail begin and end? Write the beginning and ending of the e-mail by referring to the sentences in the box.

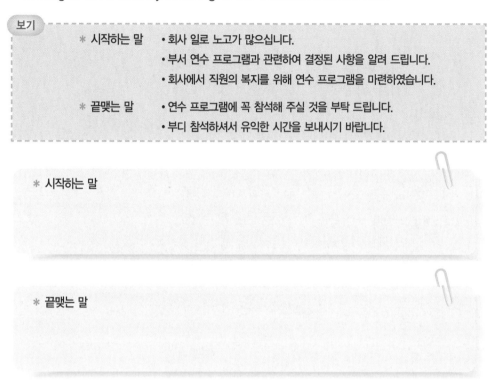

보기

* 시작하는 말 • 회사 일로 노고가 많으십니다.
• 부서 연수 프로그램과 관련하여 결정된 사항을 알려 드립니다.
• 회사에서 직원의 복지를 위해 연수 프로그램을 마련하였습니다.

* 끝맺는 말 • 연수 프로그램에 꼭 참석해 주실 것을 부탁 드립니다.
• 부디 참석하셔서 유익한 시간을 보내시기 바랍니다.

* 시작하는 말

* 끝맺는 말

3. Write an e-mail announcing the training workshop using the information above.

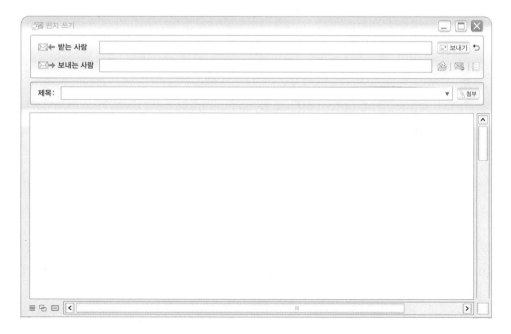

New Words & Expressions 2

고민 worry	고용 employment	관리하다 to manage
교육 training	구성되다 to consist of	급여 salary
기원하다 to wish	다과 refreshments	담배를 끊다 to quit smoking
대화 conversation	도움을 받다 to receive help	등산을 가다 to go hiking
로비 lobby	멀리 far away	명단 nominal list
문의하다 to inquire	미리 in advance	발신 sending
발전 development	발표지 handout	보고하다 to report
복사 photocopy	불필요하다 to be unnecessary	빠지다 to be absent
살이 빠지다 to lose weight	샌드위치 sandwich	생신 (honorific) birthday
설명하다 to explain	성공적이다 to be successful	수신 receiving
승진 promotion	신제품 new product	
실력이 늘다 (skill) to be improved		안전 safety
연수 프로그램 training workshop		요령이 생기다 to get the feel for
요청하다 to request	워크숍 workshop	원서 application form
음료수 beverage	익숙해지다 to be accustomed	접수되다 to be registrered
제 생각에는 in my opinion	제품 product	주로 mainly, usually
주문 order	주의하다 to pay attention	지방 country
지시하다 to order	직장 생활 working life	직장인 employee
참여하다 to participate in	초청장 invitation card	친교 fellowship
칭찬 compliment	크게 싸우다 to have a serious argument	
팩스 fax	화해하다 to reconcile	회의실 conference room

>>> ## 문화 Culture

>>> Workplace Etiquette in Korea

- Look at the following list and choose the ones that go against workplace etiquette in Korea.

  ① Call people "seonsaengnim(선생님)" if they are older than me.

  ② In the conference room, place the president's seat close to the exit.

  ③ If a superior walks into the conference room, get up to greet him/her.

  ④ If the majority people is present at a dinner meeting, start the meal even before the boss arrives.

- Read the following passage about workplace etiquette in Korea.

In the Korean workplace, people use titles that usually depend on their rank or position. It is good etiquette to affix the honorific term "nim" at the end of a person's position title, for example "bujangnim," "gwajangnim" and "daerinim." Titles such as "seonsaengnim," "ajeossi" or "oppa" should be avoided in the workplace.

When a senior employee walks in during a conference, you should get up from your seat, bow slightly and sit back down only after they have been seated. If the person joining a conference is a senior employee or older than you, it is good etiquette to offer them the "best" seat. Generally, this tends to be located in the center with a view of everyone in the conference room. In a room where there are levels, the seat located on the highest level is the best seat, and any seat located the farthest away from the door is also considered the best. The next best seat is the one that is located next to the best seat.

During a dinner meeting, it is good etiquette to wait for the organizer to arrive first. If the organizer is late, it is best to call the organizer to figure out the situation first, and then wait either for the organizer to arrive or begin the meal if permission is given. It is also good etiquette to wait for the senior employees to get up from the table before you get up.

● Talk with a partner about the workplace etiquette in your country that foreigners should know. Then give a presentation about this topic.

>>> 자기 평가 Self-Assessment

Do you have a full understanding of what you have studied in this chapter? Assess your Korean using the table below and review the chapter again if necessary.

Assessment Items	Scale		
I can listen to and understand discussions regarding work.	Excellent	Good	Poor
I can understand work instructions and discuss them with co-workers.	Excellent	Good	Poor
I can read and write documents necessary for the workplace.	Excellent	Good	Poor